LA NETA DE LAS DROGAS

MARTHA REYNOSO

TRILCE EDICIONES

La neta de las drogas
D. R. © Martha Reynoso
Primera edición, 2014

D. R. © Trilce Ediciones, S. A. de C. V.
Carlos B. Zetina 61
Col. Escandón
11800, México, D. F.
www.trilce.com.mx

Texto
MARTHA REYNOSO

Edición
DÉBORAH HOLTZ
JUAN CARLOS MENA

Coordinación editorial
MÓNICA BRAUN
LORENA HERNÁNDEZ

Diseño editorial
JUAN CARLOS MENA
ISRAEL G. VARGAS

Ilustraciones
BERENICE MARTÍNEZ
MARIANA MENA
MARIANA ZANATTA

Lectura de pruebas
RAMIRO SANTA ANA ANGUIANO
ANDREA TORRES

Asistencia en diseño
FERNANDO ISLAS

Trilce Ediciones es miembro
fundador de la Alianza
de Editoriales Mexicanas
Independientes.
www.aemi.mx

AEMI
Alianza
de Editoriales
Mexicanas
Independientes

ISBN: 978-607-7663-66-9

Impreso y hecho en México

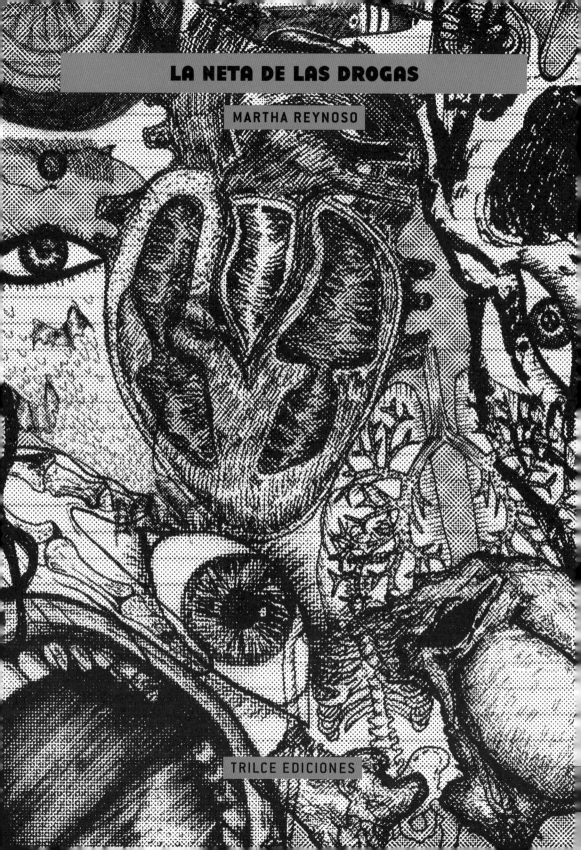

LA NETA DE LAS DROGAS

MARTHA REYNOSO

TRILCE EDICIONES

NO CREAS QUE ÉSTA YA TE LA SABES

ESTE ES UN LIBRO DIFERENTE.
SI TE GUSTAN LAS NETAS, TE VA A INTERESAR.

TE LO PROMETO: NO TE VOY A ECHAR EL MISMO CHORO CONOCIDO. SI TE DA FLOJERA LEER Y TODO TE ABURRE, ESTE LIBRO PUEDE SER PARA TI.

ES COMO UN ESPEJO EN EL QUE TE PUEDES VER, EN EL QUE VAS A DESCUBRIR COSAS NUEVAS, DE TI Y DE OTROS.

ESTE LIBRO PUEDE SER PARA TI O PARA UN AMIGO PORQUE:

Todos conocemos al menos a un amigo o familiar que abusa del alcohol o de las drogas.

A todos nos ha llegado a preocupar un cuate al que vemos mal, que ya no está bien con sus amigos ni le va bien en la escuela.

Todos sabemos de alguien que necesita del alcohol para poder enfrentar situaciones difíciles.

Todos conocemos a alguien que asegura no tener ningún problema con el alcohol o con las drogas, que dice estar muy bien, pero que no puede parar de consumir.

4

INTRODUCCIÓN

Este libro está dedicado a chicos inteligentes como tú, a los que les gusta hablar claro, que quieren formar su criterio y saber lo necesario para no caer en las trampas.

Está pensado para jóvenes que viven en un mundo que cambia constantemente, que viene cargado de sorpresas, situaciones nuevas, estímulos e incertidumbres, en el que se necesita estar bien informado para poder elegir bien y para saber dirigir la vida hacia el futuro.

En esto de las drogas no hay nada nuevo bajo el sol. En todos los tiempos y culturas las han consumido jóvenes, adultos y ancianos, hombres y mujeres, aventureros y sacerdotes. En el antiguo Egipto, acompañaban los rituales sagrados, estaban presentes en las fiestas y en las guerras. En China, desde el siglo VIII, el opio se tomaba con fines medicinales; en el siglo XIX, su uso se extendió entre los soldados, después se puso de moda entre los hijos de las grandes familias, un poco más tarde llegó a la gente del pueblo.

La mitad de los mexicanos que ahora consumen alcohol, mariguana, sedantes, inhalables o metanfetaminas reconocen que iniciaron su consumo en la adolescencia. Una cuarta parte de los jóvenes mexicanos que tienen ahora entre 12 y 25 años de edad han probado el alcohol o las drogas. La curiosidad es la causa principal por la que los adolescentes mexicanos prueban el alcohol o la mariguana por primera vez; la segunda causa es la influencia de familiares, amigos o compañeros.[1] Los adolescentes mexicanos a los que les regalan mariguana tienen más probabilidad de caer en esta adicción que quienes deben comprarla. En los últimos años, la proporción de mujeres adolescentes que beben o que prueban las drogas se ha duplicado.

Pero la sustancia de mayor consumo en México es el alcohol: más de cuatro millones de mexicanos son alcohólicos. Mientras que la mariguana ocupa el segundo lugar de consumo entre los jóvenes.

1 Sexta Encuesta Nacional de Adicciones, 2011. Secretaría de Salud. En línea: http://www.conadic.salud.gob.mx. ENA-2011 (consultada en 2014).

Cuando a los jóvenes mexicanos se les pide su opinión acerca de su situación actual, responden que el principal problema que enfrentan es el abuso del alcohol y las drogas.[2]

LOS QUE SE ARRIESGAN

Algunos chavos han probado el alcohol, la mariguana, el cigarro, los solventes o las anfetaminas por experimentar, porque sienten curiosidad, por simple aburrimiento o porque las tienen a la mano y alguien cercano las consume. Prueban para sentirse como los grandes a quienes admiran o lo hacen con tal de pertenecer a un grupo, sin importarles si es el grupo de los perdedores.

Los que se arriesgan con las pastas, los chochos, las grapas, las tachas, el perico, la piedra, la chiva, etc., arriesgan su vida porque creen que su cuerpo puede resistir el exceso de placer o de dolor, porque se creen inmortales, porque piensan que el ser rebeldes les da poder. Lo hacen porque no saben cómo dar una buena solución a los problemas que la vida les presenta.

Probar es un riesgo donde muy pronto es muy tarde, más de lo que muchas veces se puede pensar.

MÍRATE EN ESTE ESPEJO...

Sabes que la vida es un camino, pero no entiendes cómo se camina por él.

No te queda claro lo que tus padres y maestros esperan de ti.

Tus amigos dicen que ya no eres como antes... que ahora eres mala onda.

Sientes que cada vez te invitan a menos fiestas.

Te das cuenta de que algo anda mal entre tus padres y tú, pero no sabes cómo hacerle.

Crees que sólo tú tienes la razón.

Tú te la crees, pero ¿alguien más te cree?

2 Así respondieron el 67.4 % de las mujeres y el 74.4 % de los hombres de entre 12 y 29 años de edad en la Encuesta Nacional de Juventud, 2005. Instituto Mexicano de la Juventud. En línea http://sic.conaculta.gob.mx/centrodoc_documentos/292.pdf (consultada en 2014).

A continuación, te presentamos una serie de afirmaciones para tu consideración. Por favor marca **sí** cuando estés de acuerdo con ellas o **no** cuando no lo estés.

1. Me gusta convivir con mi familia — a) **no** ■ b) **sí** ■
2. Me siento inseguro(a) — a) **sí** ■ b) **no** ■
3. Mi estado de ánimo cambia con frecuencia — a) **sí** ■ b) **no** ■
4. Disfruto la escuela — a) **no** ■ b) **sí** ■
5. A veces he pensado que no quiero vivir — a) **sí** ■ b) **no** ■
6. No encuentro mi lugar — a) **sí** ■ b) **no** ■
7. Tengo la mecha muy corta — a) **sí** ■ b) **no** ■
8. Sé lo que quiero hacer con mi vida — a) **no** ■ b) **sí** ■
9. Soy un(a) perdedor(a) — a) **sí** ■ b) **no** ■
10. Me siento vacío(a) — a) **sí** ■ b) **no** ■
11. Me gustan mis maestros — a) **no** ■ b) **sí** ■
12. Me duele la cabeza, me duele el cuerpo — a) **sí** ■ b) **no** ■
13. Lloro por cualquier cosa — a) **sí** ■ b) **no** ■
14. Tengo accidentes con frecuencia — a) **sí** ■ b) **no** ■
15. Me vale lo que piensen de mí — a) **sí** ■ b) **no** ■
16. Duermo bien — a) **no** ■ b) **sí** ■
17. Siento vergüenza — a) **sí** ■ b) **no** ■
18. Todo me da flojera — a) **sí** ■ b) **no** ■
19. La mariguana es adictiva — a) **no** ■ b) **sí** ■
20. Me da miedo estar solo(a) — a) **sí** ■ b) **no** ■
21. Estoy contento(a) conmigo mismo(a) — a) **no** ■ b) **sí** ■
22. Me corto, me lastimo — a) **sí** ■ b) **no** ■
23. Todos me aburren — a) **sí** ■ b) **no** ■
24. Puedo hablar de lo que siento — a) **no** ■ b) **sí** ■
25. Me siento confundido(a) — a) **sí** ■ b) **no** ■

SI YA PROBASTE EL CIGARRO, EL ALCOHOL O ALGUNA DROGA...

SI TAL VEZ LO HICISTE PORQUE:

No te encuentras bien contigo mismo y necesitas sentirte aceptado.

No sabes cómo parar.

Querías probar para ver hasta dónde podías llegar.

Crees que, si no le entras, no eres lo suficientemente hombre.

Andas de aventurero.

No te has puesto a pensar en los riesgos que corres.

ES TIEMPO DE DECIR:
"NO GRACIAS, NO ES LO MÍO. YO NO LE ENTRO".

SI LO QUE HAS LEÍDO REFLEJA LO QUE PIENSAS O LO QUE SIENTES, NO CIERRES EL LIBRO. SIGUE ADELANTE.

8

SI TE RECUERDA A UN AMIGO O AMIGA, SIGUE LEYENDO. NO TE DETENGAS.

LA ENGAÑOSA ATRACCIÓN DE LAS ADICCIONES

Entrar en una adicción es fácil, lo difícil es salir cuando se ha caído. Las primeras veces promete engañosos atractivos; con el tiempo, llegan el dolor y el daño.

Es posible hacerse adicto a cualquier cosa: a la comida, a alguna actividad, a una sustancia; al café, los videojuegos, los pegamentos, la mariguana, los hongos, las anfetaminas, la aspirina, el alcohol, los chocolates, la televisión, la computadora.

En la **primera fase** del consumo, el placer o el bienestar son casi inmediatos. Las sustancias y las sensaciones placenteras recorren el cuerpo siguiendo la vía de las redes neuronales, alterando las percepciones, las emociones y los pensamientos.

En la **segunda fase** del consumo, viene la repetición; como los efectos son cada vez menos duraderos, se vuelve urgente consumir cada vez más. Se repite el consumo sin poder parar, la relación con la sustancia se vuelve más cercana y exigente, no permite separarse, no da tregua ni descanso y finalmente domina al que la consume.

Los niños y adolescentes que prueban el alcohol o las drogas pasan aceleradamente por estas fases y son más vulnerables a caer en la adicción porque aún no han alcanzado madurez neuronal ni emocional.

En la **tercera fase**, el sistema nervioso y los pulmones se llenan de toxinas. Estas sustancias ajenas se roban el oxígeno, hacen trabajar al organismo en exceso, llegan al corazón o al hígado, bloquean las redes neuronales, desordenan las emociones, alejan a la persona de su mundo y de sus relaciones sociales.

En la **fase final**, la adicción se convierte en una relación demandante y exigente, posesiva como ninguna, que borra el mundo de afuera, hace que los otros pierdan su valor y significado, y se presenta el deterioro. Todo lo bueno de una persona se pierde con la adicción.

PRIMERA PARTE

VIVIR CON DROGAS

CLASIFICACIÓN DE LAS DROGAS

Según su origen, las drogas se pueden agrupar en **naturales** o **sintéticas**: las naturales o naturistas provienen de los frutos, hojas, tallos, flores o raíces de algunos árboles, cactáceas o plantas; las sintéticas se preparan en el laboratorio siguiendo un procedimiento químico.

Las **drogas legales** son todos los medicamentos autorizados por el sistema de salud de un país; las **drogas de la calle, ilegales o prohibidas** son los medicamentos o drogas no autorizados. Se les llama **estupefacientes** a las sustancias psicotrópicas que se consumen de manera ilegal.

El que una droga sea más o menos **dura** o **suave**, más o menos **tóxica**, depende más que de su naturaleza de la dosis, del modo y cantidad en que se consume, si se consume sola o si está preparada o mezclada con otras drogas. Depende también del estado general del que la consume.

Según sus efectos, las drogas pueden ser **depresoras, estimulantes** o **alucinógenas**.

LAS DROGAS Y SUS EFECTOS

A continuación, te presentamos los atractivos aparentes y los peligros reales que se relacionan con el consumo de algunas **sustancias psicotrópicas**, esto es, las sustancias que actúan sobre la *psique* (el alma o espíritu del ser humano). Encontrarás la manera en que afectan el sistema nervioso, la mente, el cuerpo, las relaciones con los demás y la vida en general. Con el fin de ilustrar y para ayudarte a formar tu criterio, la descripción de cada sustancia viene acompañada de uno o más relatos de experiencias que han vivido algunos jóvenes como tú.[3]

---

3 Los nombres que aparecen son ficticios, pero las experiencias son reales.

chAcho

¡Cómo me gustaban los anuncios de cerveza y cigarros! En ellos, los chavos se veían muy guapos y divertidos. Yo sentía que vivían en un mundo al que yo quería pertenecer, se me antojaba tener fiestas y amigos así.

Como a mí se me hacía muy difícil tener amigos y divertirme, pensé que tomando unas copas me sentiría feliz. Tomé muchas copas y la felicidad no me llegaba, sólo a ratos me sentía como seguro de mí mismo, pero al día siguiente me sentía muy mal, cada vez más irritable y cansado, pero aún así no podía parar de tomar.

Al principio yo bebía y fumaba para creer que era simpático y alegre, para sentirme bien en el antro; después lo hacía porque cada día necesitaba beber y fumar más. Necesitaba tomar, porque sin tomar me sentía

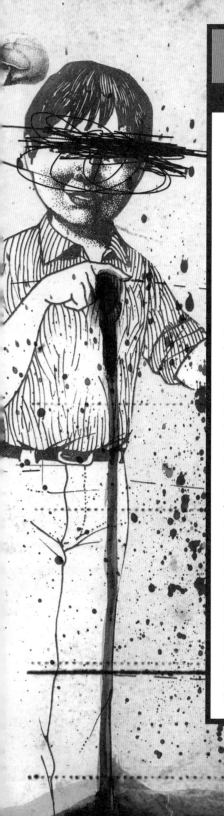

ALCOHOL

Trago, drink, chupe

El alcohol etílico o etanol es un depresor del sistema nervioso central que, cuando llega y se absorbe en el estómago y en el intestino delgado, produce una sensación de bienestar y alegría.

Todos podemos caer en la tentación de tomar alcohol porque está disponible en todas partes, es aceptado socialmente y se anuncia como fuente de felicidad.

Los menores de 18 años pueden caer en la adicción al alcohol en menos de un año porque su cerebro y organismo aún no procesan el alcohol. Además, no tienen el criterio suficiente ni la fuerza de voluntad que los haga medir y restringir su consumo.

El consumo frecuente y ex-cesivo de alcohol entorpece los sentidos, destruye las conexiones de las neuro-nas, vuelve más lentas las funciones del cerebro y hace que se vayan apagando los reflejos que prenden el foco en las situaciones de peligro. Su abuso constante afecta al organismo en su totalidad: debilita el corazón, altera el sistema endocrino y agota las reservas de vi-taminas, calcio y minerales causando desnutrición.

No hay que engañarse: mientras más tomas, mientras más lo repites, más te pones en riesgo.

El bebedor problemático es el que, debido a su consumo de alcohol, puede estar en conflicto con sus amigos, su pareja o su familia, puede ser violento, tener problemas de salud y mal desempeño en la escuela o el trabajo. En México, ocho de cada diez accidentes de automóvil con lesionados graves son causados por los bebedores problemáticos.

Un bebedor social es el que bebe en compañía de otros.

Los bebedores no problemá-ticos son los que consumen alcohol en forma moderada sin consecuencias negativas para sí mismos o para otros, son mayores de edad y, si son mujeres, no están embarazadas ni en periodo de lactancia.

13

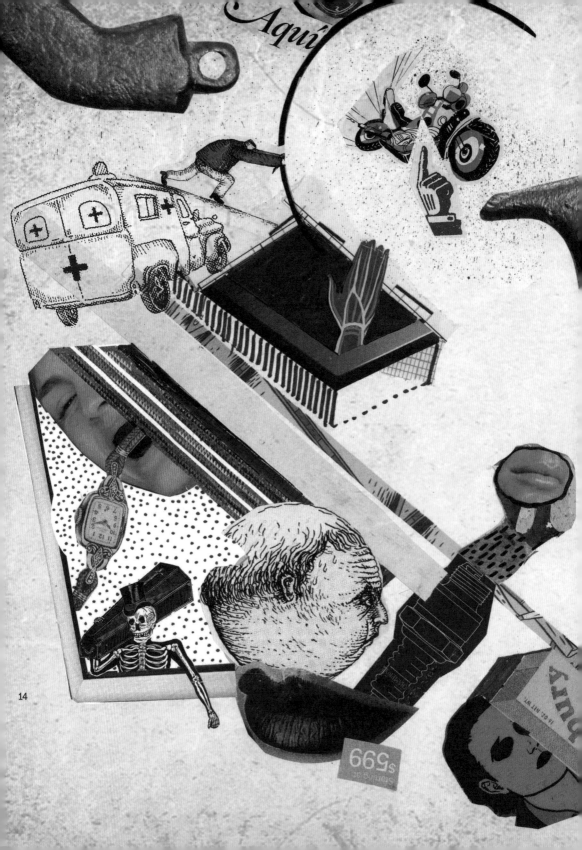

vacío, solo, abandonado de mí mismo. Sólo con el alcohol lograba parecer que estaba alegre por un rato. Muchas veces me propuse no tomar más, pero no podía parar de beber: a los 16 años es muy difícil no beber o fumar, uno cree que no se puede "no hacerlo" cuando "todos los amigos lo hacen".

Para mí, todo cambió el día en que mi carnal se accidentó en la moto; él ni cuenta se dio cuando lo atropellaron. Habíamos estado tomando mucho, nos metimos en una bronca con unos cuates; después de la bronca, él se subió a la moto todo acelerado y se estrelló, ahora no sabemos si algún día va a poder caminar de nuevo. Después de este accidente, me sentí más solo y culpable, me puse a beber más. Pasaron meses en que mi vida se hizo más desordenada, me sentía como en un precipicio en el que nada te detiene de caer.

No sé qué fue lo que me hizo querer detenerme, pero un día me di cuenta de que mis padres estaban muy preocupados por mí. Ellos habían hablado conmigo muchas veces, pero yo estaba como sordo; pero, ese día me dio tristeza por ellos y me di tristeza a mí mismo. Me dije: "Va con todo" y fui a pedir ayuda al Centro Nueva Vida, ahí me atendieron y por primera vez me hicieron pensar. Pude hablar de mi historia, de cómo me fui haciendo mal alumno, porque yo no sabía lo que me pasaba, era distraído, no me podía concentrar, eso me trajo problemas con los maestros y yo sentía que no les caía bien. Me atrasé mucho en los estudios, me refugiaba con los compañeros que se escapaban de la escuela como yo. Y se fueron juntando las malas calificaciones con los problemas en la casa. Pues sí, es cierto que tenía problemas en mi familia: la violencia de mi papá me hizo muy resentido y también hizo que mi mamá viviera con miedo. En el Centro Nueva Vida me enseñaron a hablar, a tener amigos y a arreglar mis asuntos pendientes sin violencia y sin alcohol, aprendí a acercarme a los amigos y a las mujeres hablando con ellos.

Ahora me siento valioso cuando leo, cuando estudio y hago bien mi trabajo; me siento valioso por pertenecer a una familia que, a pesar de sus errores, se ha esforzado y ha trabajado. Ahora juego futbol, tengo una novia y buenos amigos, al fin tengo todo lo que siempre quise tener. Cada vez que juego y meto un gol, neta, me siento feliz y como en los anuncios.

15

LOLITA

Yo crecí sola y descuidada porque mi mamá era muy fiestera y tomadora. Por las tardes, no estaba en la casa para acompañarnos y hacer la tarea y, en las mañanas, no la veíamos porque estaba dormida y desvelada. Nunca pude invitar amigas o amigos a la casa porque me daba mucha pena que supieran lo que le pasaba a mi mamá.

Yo me fijaba mucho en cómo eran los papás de mis compañeros y los consejos que les daban para entonces decir que así me cuidaban a mí. Me inventé una mamá que me cuidaba, a la que no le gustaba que anduviera de vaga; les contaba a mis amigos que mi mamá era muy exigente con las tareas, que no me daba permisos, que me ponía horarios para llegar a la casa, pude crecer haciéndoles creer a todos y a mí misma que tenía unos papás que esperaban lo mejor de mí.

Desde muy pequeña, yo hacía la comida y arreglaba la ropa de mis hermanos. Yo los cuidaba para que no se burlaran de nosotros, para que no dijeran en la escuela que éramos sucios o que olíamos mal. Me daba mucha vergüenza cuando no pagábamos la colegiatura, cuando no tenía los libros que me pedían los maestros o cuando me quedaba esperando a mis papás que no llegaban a verme en los festivales de la escuela.

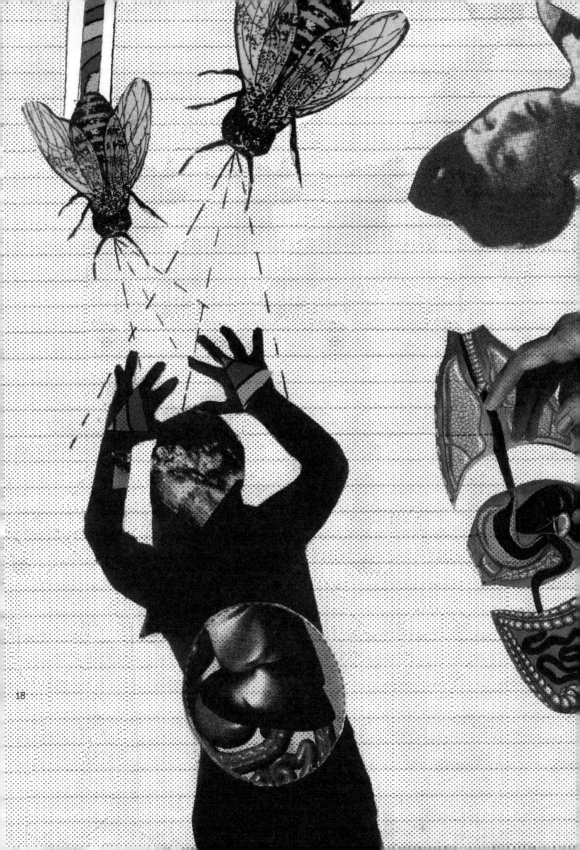

Por mucho tiempo, yo estuve muy sola, sin saber qué hacer, hasta que un día me atreví a soltar toda la sopa con una de mis maestras. Cuando pude hablar de mis secretos, se me fue quitando todo el peso que sentía encima de mí. La escuela se volvió como mi casa, ahí les ayudaba a las maestras, ahí podía leer los libros que me prestaban, ahí aprendí a convivir y a divertirme con mis compañeros.

Gracias al apoyo de mi maestra, mis hermanos y yo pudimos llevar a mi mamá a un grupo de Alcohólicos Anónimos. No fue fácil convencerla; primero se enojaba mucho con nosotros, nos decía que le faltábamos al respeto, que ella no era alcohólica. Al principio, no entendía "qué tiene de bueno ir con otros borrachitos a platicar".

Fue muy valioso para toda la familia que mi mamá asistiera a AA. En el grupo la oí hablar y contar su historia, me dio mucha tristeza ver que ella había vivido lo mismo que ahora vivíamos nosotros: sí, ella tuvo un papá alcohólico. Escucharla me hizo querer acercarme a ella. Ella ha podido ver el sufrimiento que la ha hecho tomar, también ha podido ver lo mal que nosotros la estábamos pasando. Lo bueno es que ahora podemos hablar con ella sin que se enoje, se ha acercado mucho a nosotros y puede ser una mamá alegre y cariñosa.

Cada día me siento mejor, sobre todo cuando veo que mi mamá se parece a las otras mamás. Hasta me siento orgullosa de ella cuando se la presento a los amigos que invito a mi casa.

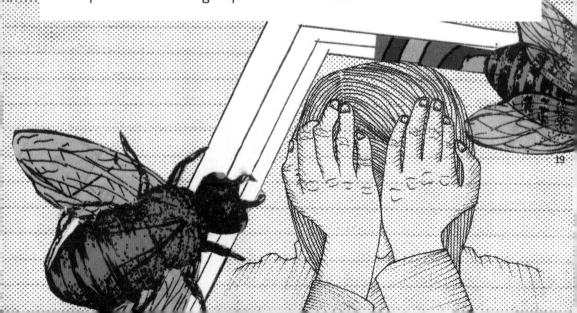

TABACO O CIGARRO

Cigarrillos, tifos

Los cigarros se preparan con las hojas del *Nicotiana tabacum.* Cada cigarro contiene de 1 a 2 miligramos de nicotina, un alcaloide que estimula la secreción de dopamina.

La nicotina del humo del cigarro llega al cerebro en siete segundos y eleva el nivel de excitación en la corteza cerebral.

Con el primer golpe, el fumador siente placer: siente que disminuye su cansancio, malestar o mal humor; momentáneamente se mejora su concentración.

Después de unas horas (en algunos casos pueden ser minutos), con el descenso de los niveles de nicotina en la sangre, el fumador se siente irritable, nervioso, le falta la concentración y siente la urgente necesidad de volver a fumar.

El consumo frecuente del tabaco genera *tolerancia farmacológica:* como los receptores de *dopamina* se vuelven menos sensibles, se disminuye la posibilidad de reacción de las neuronas y la necesidad de consumir tabaco aumenta.

Los que empiezan a fumar fuman porque creen que van a estar a la moda y a tener más amigos, porque suponen que se van a ver "muy acá" o porque se sienten fuera de onda; fuman porque no entienden la diferencia entre ser elegante y parecerlo, entre ser inteligente y aparentarlo.

El consumo excesivo y prolongado de tabaco altera y modifica las respuestas del sistema nervioso, afecta el corazón, la circulación y el sistema respiratorio. Es causa de cáncer en la boca y en los pulmones. En México, cada día mueren 144 personas a causa del cigarro.

El síndrome de abstinencia al cigarro se manifiesta con irritabilidad, ansiedad, somnolencia, dolor de cabeza y dificultad en la concentración. Con ayuda profesional, es posible superar estas molestias y dejar el cigarro.

El cigarrillo electrónico no ayuda a dejar de fumar.

Lo verdaderamente inteligente y *cool* es nunca empezar a fumar.

A LOS TRECE AÑOS, ME MORÍA DE GANAS DE QUE LAS NIÑAS GRANDES ME PELARAN. Como me creía poca cosa y quería sentir que era como ellas, me puse a fumar. Al principio, me sentía muy chida platicando y fumando, me sentía "muy acá" por pertenecer a un grupo, por tener amigas; creía que ellas me aceptaban porque fumaba, no me daba cuenta de que yo podía ser simpática ni me daba cuenta de que para mis amigas mi presencia era importante.

Muy pronto, yo necesitaba fumar cada vez más: fumaba para estudiar, para platicar, para leer, para ver la tele, fumaba cuando me sentía sola y aburrida, para no estar enojada, para olvidarme de mis problemas, fumaba todo el tiempo y si no fumaba tenía que comer. Cuando no conseguía cigarros, sentía mucha desesperación, estaba de mal humor, me enojaba por todo.

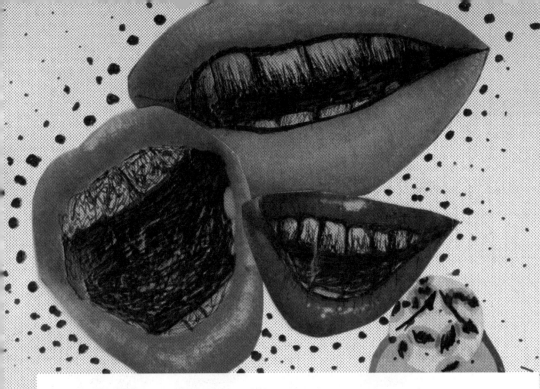

Muchas veces he querido dejar el cigarro, pero cuando no fumo mis hermanos y mis amigos no soportan mi mal humor. Todos me dicen: "Ándale, ya ni tú sola te aguantas", entonces tengo que volver a fumar. Hasta mi novio me ha cortado cuando dejo de fumar.

En mi familia me han comentado que hay un programa muy bueno para dejar de fumar, una prima mía estuvo ahí y dejó el cigarro. Ella me ha platicado que se trata de reunirse con grupos de jóvenes dirigidos por un experto en adicciones, generalmente alguien que fue fumador. Todos participan, hablan de su necesidad de fumar, hablan de sus horarios, de las rutinas y actividades que acompañan con el cigarro, hablan de sus experiencias. Ahí los ayudan a entender la manera en la que se relaciona el cigarro con sus hábitos y los enseñan a reconocer las causas por las que fuman. Se fijan metas para dejar de fumar y para llevar una vida saludable hasta que pueden vivir sin el cigarro. Mi prima me ha dicho que para ella fue muy importante estar acompañada por el grupo, sentir que todos la entendían porque compartía con ellos sentimientos y experiencias semejantes. Está feliz porque ha hecho buenos amigos en el grupo. Dice que gracias a su esfuerzo y a la solidaridad del grupo casi todos sus compañeros dejaron de fumar.

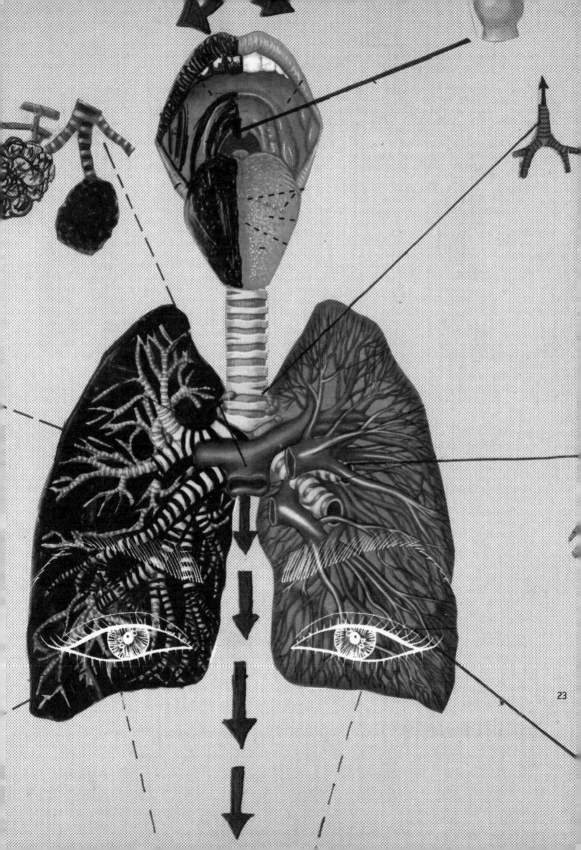

23

MOZARTITO

¡AH! YO SÍ QUE LE DI PROBLEMAS A MI FAMILIA. Estaba tan entrado en la mariguana y en las tachas que no podía entender lo que me pasaba ni lo que querían de mí.

Les voy a contar mi historia. La pura verdad es que yo nunca tuve muy clara ni la figura materna ni la figura paterna. La figura paterna siempre fue como muy traslúcida en mi vida; en primer lugar, porque mi mamá no le dio su lugar a mi papá, ella me hizo su cómplice en contra de mi papá.

MARIGUANA O CANNABIS

Hachís, mota, porro, yerba, la verde

El principal psicotrópico que contiene se llama *tetrahidro-cannabinol–THC*. Fumada o ingerida rápidamente pasa de los pulmones al torrente sanguíneo y al cerebro.

Actúa sobre los receptores cannabinoides del hipocampo, la parte del cerebro encargada del placer, la memoria, el pensamiento, la concentración, las percepciones sensoriales, la percepción del tiempo y la coordinación de los movimientos.

Como es *lipófila,* se disuelve y se fija en la grasa del cuerpo y en el tejido del cerebro; puede permanecer en el organismo sin ser eliminada hasta tres meses.

Sus efectos varían según quien la consume: se puede sentir que el tiempo pasa muy rápido o que se detiene; ver los colores más brillantes o mirar todo borroso, como envuelto en neblina; percibir los sonidos con mayor intensidad o sentirse rodeados de silencio; se pueden sentir mareados, amodorrados, como en trance; se puede pasar del ataque de risa que se contagia en el grupo, al llanto o al terror.

El que consume mariguana necesita consumir cada vez mayor cantidad para lograr el mismo efecto; a este fenómeno se le llama *tolerancia cinética*.

Los que fuman mariguana la fuman y se la pasan ("¡pásala!"), se les va el tiempo, su rendimiento baja ("¡pásala!"), se les va la onda, se les va la vida ("¡pásala!"), se aniquila su voluntad, todo les vale ("¡pásala!"), se vuelven aburridos, no pueden pensar inteligentemente ("¡pásala!"), se les derrumba el mundo, no saben cómo arreglarlo ("¡pásala!"), y ellos siguen en su ocio diciendo "aquí no pasa nada".

La acumulación de THC en el cerebro disminuye la capacidad de trabajo y de aprendizaje, da lugar al *síndrome amotivacional*, que es un estado de indiferencia, apatía, pasividad, desapego, irritabilidad, cansancio crónico y dificultad en la atención.

No se puede saber cuándo o a quién, pero a algunos los hace sentirse perseguidos, los aparta de la realidad, hace que su pensamiento se vuelva oscuro o confuso. Pueden sufrir crisis de angustia o de pánico, pueden oír voces que los amenazan o pueden llegar a padecer un estado psicótico.

Consumir más de cuatro carrujos de mariguana es peligrosamente tóxico. Perder la cuenta de lo que se ha consumido es la causa de accidentes graves, especialmente cuando la mariguana se mezcla con otras drogas de efectos contradictorios.

Cinco de cada cien adolescentes mexicanos de 12 años han probado la mariguana. Al 37 % de los jóvenes mexicanos entre 12 y 25 años les han ofrecido mariguana regalada. ¡Cuidado! ¡Desconfía! Quien te regala mariguana no puede ser tu amigo.

La relación con mi mamá era muy estrecha, aunque no puedo decir que fuera una buena relación, porque ella era bastante relajienta y bastante desobligada. Cuando mi papá algunas veces trataba de imponer la disciplina, mi mamá pos no, no sabía lo que quería decir eso, se encargó de que yo no me enterara y mi vida se fue haciendo un caos.

Empecé con la mariguana como si fuera un experimento, como una búsqueda de los sentidos; yo quería explorar cómo se deformaban, cómo se veían, se sentían, se escuchaban y se veían las cosas con la droga. Con la mariguana veía todo como con más luz, con más colorido, se le quitaba lo gris a mi mundo y a mi vida, nada ni nadie me importaba, me valían todos. No me daba cuenta de las broncas de todos los días ni de los problemas de mi familia; con la mariguana ya nada me parecía importante. Bueno, eso creía yo, pero la verdad es que yo me sentía triste y vacío, no me llenaba con nada.

Como siempre me han gustado mucho la música, los conciertos, las fiestas tecno y los *raves*, iba de una fiesta a la otra sin darme cuenta de que cada vez me ponía más mal. Cuando se me pasaba el efecto, cuando me quedaba solo, sentía el vacío, me sentía quebrado, tenía ganas de aventarme por la ventana, quería salir huyendo, sentía que tenía que escapar.

Durante un tiempo todo esto me pareció divertido, pero después ya no me gustó porque con la mariguana en realidad no haces nada más que echarte, nada más me aletargaba, no me daban ganas de hacer nada, me atontaba y me volvía totalmente pasivo. Las primeras veces tenía suficiente con un porro, pero cada vez necesitaba más para sentir lo mismo.

Un día, después de andar vagando sin rumbo, me senté en la banqueta a llorar y a fumar mariguana hasta que unos policías me llevaron con ellos. Los policías llamaron a mis papás y les dijeron que debían de llevarme a un lugar especializado de rehabilitación para drogadictos; mis papás no podían creer lo que nos estaba pasando.

27

Ahora van cambiando las cosas: estamos aprendiendo a hablar de lo que nos pasa, yo estoy aprendiendo a estar bien sin consumir. Mis papás están encontrando la manera de hablar entre ellos aunque estén divorciados, están encontrando el modo de no estar uno contra el otro.

Al fin, a todos nos cayó el veinte: mis padres entendieron que tienen que ponerse firmes para llevarme al orden, aceptaron que se requiere su presencia para hablar de lo que nos pasa, que es necesario que ellos conozcan a mis amistades, que sí es importante ir a hablar con mis maestros.

A algunos de mis amigos la mariguana "los encantó" y se quedaron ahí en la trampa; me da mucha tristeza ver que no cambian, no trabajan, no crecen, se han quedado como congelados.

Ahora lo mío es poder pensar bien y ser inteligente, siento que no hay nada mejor que el trabajo. Toco la guitarra como siempre he querido, estudio música y trabajo en un restaurante. Compuse unas rolas para tocar en mi grupo, me siento muy bien cuando veo que gustan y que las cantan y, neta, nunca me había sentido tan bien como ahora. Hasta tengo mis ahorros porque quiero llegar a ser independiente.

ANALGÉSICOS, SEDANTES, PASTILLAS PARA DORMIR, ANSIOLÍTICOS, ANTIDEPRESIVOS

Chochos, pastas

Actúan sobre el sistema nervioso central, inhibiendo la transmisión de las señales nerviosas asociadas al dolor. Se usan en el tratamiento del dolor, la angustia, el insomnio, el estrés, la depresión y la epilepsia. El uso de estos *psicotrópicos terapéuticos* requiere de los cuidados y la receta de un médico.

En el **corto plazo**, mitigan el dolor, disminuyen la angustia, relajan la tensión muscular, alivian la depresión y ayudan a dormir.

En el **mediano plazo**, producen somnolencia, mareo, hambre y cansancio constante. Pueden causar pesadillas y problemas de memoria.

En el **largo plazo**, alteran el estado de ánimo del que los consume, lo vuelven irritable y violento.

Los más expuestos a caer en esta adicción son los que se quedan solos, se encierran en sí mismos, no buscan ayuda profesional, se automedican y aumentan las dosis por su cuenta, o los que tienen un familiar cercano que los consume y se automedica. Las encuestas indican que la mitad de los que consumen pastillas iniciaron su consumo en la adolescencia.

Como alteran las horas de sueño, trabajo y descanso de quien los consume, provocan un desfase con los horarios de los otros que lleva al aislamiento y distancia con los amigos. Su consumo excesivo puede impedir que sientan las señales de dolor que avisan de las infecciones y enfermedades, lo que las complica hasta hacerlas más graves. También pueden interrumpir el periodo menstrual de las mujeres.

Es necesario tener la ayuda de un psicólogo y de un médico que ayuden a entender lo que impide dormir bien, que ayuden a resolver las causas del malestar y que acompañen en el proceso que conduce a vivir sin tomar pastillas.

JUAN

YO ME HAGO ADICTO A TODO: A LA MARIGUANA Y A LAS PASTILLAS LEGALES; ME PRENDO DE TODO.

A pesar de ser inteligente, siempre fui un niño problema. En la escuela, no me iba bien porque era inquieto y violento, vivía en el desorden; en mi casa, mis hermanos y mis papás no me soportaban.

Yo no aprendí a vivir en paz ni aprendí a tener buenas relaciones. Pienso que fue porque mis papás eran muy violentos entre sí. Recuerdo que desde niño no podía dormir bien por las noches porque tenía miedo de los monstruos; en la escuela, me quedaba dormido, me arrastraba de cansancio, cuando lograba despertar me portaba como terrorista.

Inicié el consumo de chochos en mi casa. Para mí, fue fácil tomar las pastillas del botiquín de mis papás. Después, seguí con la mariguana, esa sí la agarré en la escuela, con los otros que como yo no estudiaban y nos íbamos de pinta.

No sé qué será, pero algo negro en mí me lleva a hacerme daño a mí mismo y a otros. Cuando veo hacia atrás y veo lo que he destruido siento mucho dolor. Pero no sé qué hacer. Los chochos me hacen creer que estoy calmado, me sacan de mí y de todo lo que no me gusta. Cuando no tengo chochos, dentro de mi cabeza se agitan la angustia y la violencia, todos los pensamientos se me revuelven en todos los sentidos, me acusan y me lastiman. Tengo mucho miedo de volverme loco, cada vez estoy más mal. Tengo mucho miedo porque veo fantasmas, los monstruos no me dejan en paz, no sé si los veo o me los imagino, pero no me dejan tranquilo.

Algo me dice que no es demasiado tarde: necesito entrar a una clínica para que me ayuden a vivir sin drogas. Me duele mucho necesitar los chochos, también me duele mucho dejarlos... Pero yo pienso que si pongo de mi parte y si alguien me ayuda, puedo aprender a vivir sin ellos.

BARBI

HA SIDO MUY DIFÍCIL PARA MÍ ENTENDER POR QUÉ ME SIENTO TAN SUCIA, TAN GORDA, POR QUÉ ME CHOCA MI CUERPO. Entender que no me gusto, que me veo deforme, como si algo por dentro estuviera mal hecho. Cuando veo dentro de mí, me siento vacía, nada me llena. Me siento grasosa; cuando voy a salir, no encuentro qué ropa ponerme. No me gusta ir a las fiestas porque las otras niñas me dan celos y envidia. No me gustan mis pechos, los siento muy grandes, siento que a mí me crecieron más que a todas. Yo quisiera ser flaquita como niña fresa para no sentir el morbo en la mirada de los chavos.

Cuando empecé a tomar las anfetaminas me sentí súper, no me daba nada de hambre, me sentía llena de energía, entonces me dije: "Ya la hice, ahora sí que encontré la fórmula perfecta".

ANFETAMINAS Y METANFETAMINAS

Anfetas, chochos, speed, yaba, droga loca

Son un derivado químico de la *efedrina* que imita la acción de la *adrenalina*, activan el *sistema nervioso simpático* y el *sistema nervioso central.* Se toman en forma de pastillas por vía oral.

La estructura química de las metanfetaminas es muy semejante a la de las anfetaminas, pero su efecto sobre el sistema nervioso central es más pronunciado porque cruzan muy fácilmente la barrera que separa el cerebro del resto del cuerpo.

La *yaba* o *droga loca* es una mezcla de metanfetaminas y cafeína que se prepara en pastillas de colores y a veces con sabores frutales.

Estos estimulantes adictivos aceleran el ritmo cardiaco y producen hipertensión, aumentan los niveles de dopamina en la sangre haciendo que se intensifique el estado de alerta, la atención y la actividad motriz; calman el hambre, impiden el sueño y hacen sentir vigor y energía.

Son vulnerables a su consumo: Los que le exigen a su cuerpo más y más en el deporte, en el trabajo, en el estudio, en la fiesta.

Los que quieren mantener el estado de alerta más allá del cansancio natural.

Los que, por sentirse vacíos emocionalmente, comen en exceso y no pueden parar.

Los que buscan los excesos, el peligro y los efectos constantes de la adrenalina.

Los que no conocen la diferencia que hay entre estar bien y verse bien, entre estar fuertes o sentir energía momentánea, entre estar despiertos después de descansar o estar despiertos artificialmente.

Los que las consumen en exceso pierden el control de sí mismos, se les empaña el buen juicio, son violentos, pierden a sus amigos, viven con miedo y angustia, no pueden dormir, no se pueden concentrar, se sienten confundidos, pueden llegar a tener crisis de ansiedad, estados de agitación psicomotriz y delirios persecutorios.

Las metanfetaminas pueden llegar a impedir el sueño durante varios días, lo que genera un gran agotamiento físico y psicológico.

Cuando los que las consumen no las pueden tomar, sienten como si alguien los hubiera abandonado.

Las anfetaminas y metanfetaminas pueden deteriorar el cuerpo aceleradamente porque le exigen un gran esfuerzo y trabajo físico.

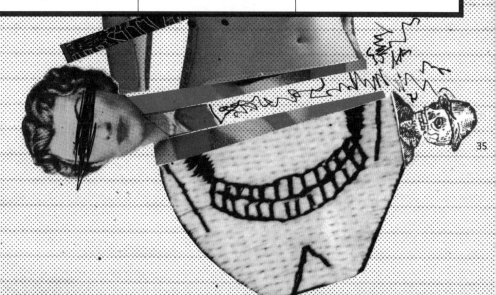

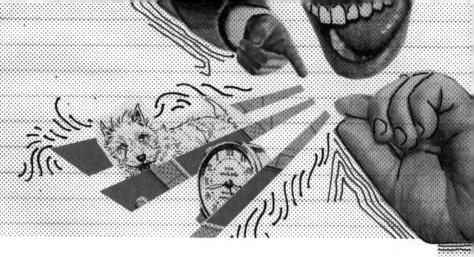

Pero, tomando las anfetaminas, la sensación de vacío se hizo más grande, sentía que perdía consistencia, me perdía de mí misma, me sentía a veces vacía y a veces como que me desbordaba, me resultaba casi imposible mantenerme siendo yo. Mis amigos me decían que había cambiado, que ya no era la misma. Me fui quedando muy sola porque siempre estaba de mal humor, sentía que todos me criticaban, estaba en bronca constante, sentía que mis amigos se habían convertido en mis enemigos.

Por mucho tiempo estuve muy enojada, peleando de todo y con todos, me chocaba mi papá y también mi mamá, les tenía coraje a mis amigas por delgadas y guapas, a mis maestras no las soportaba porque creía que estaban en mi contra, me sentía resentida con todos.

Pronto cambiaron las cosas porque mi abuela sí sabe cómo poner orden; empezó a darme de comer a mis horas y me llevó con un psicólogo. Me sentí mejor, más tranquila, menos peleonera. Claro, sin las anfetaminas ya no me da por pelear, ya no me siento ofendida por todo y por todos. Gracias a que he aprendido a hablar de mis cosas con mi abuela, ahora ya puedo platicar con mis papás, ya regresé a la escuela con ganas de estar con mis amigos y con deseos de estudiar.

Como mi abuela tiene una tienda en el mercado, al salir de la escuela voy a ayudarla con las ventas. Los chavos y las chavas que van a la tienda me buscan a mí porque dicen que soy muy *fashion*; me doy cuenta de que ya me ven con otro interés, buscan mi opinión y yo los puedo asesorar. Mi abuela está contenta conmigo y me va a ayudar para que en cuanto termine la prepa pueda estudiar diseño de modas.

INHALABLES

Mona, activo

Son gases, aerosoles o líquidos volátiles contenidos en los combustibles, pinturas, pegamentos, marcadores, lacas y limpiadores que se usan en la casa o en el taller. Se aspiran por la nariz o por la boca.

Al principio, actúan como excitantes, aceleran la respiración y el ritmo del corazón.

Un poco después, adormecen, vuelven los movimientos lentos y torpes, el pensamiento se vuelve confuso, se siente mareo.

Los niños y los jóvenes de diferentes clases sociales los consumen por sus efectos inmediatos porque es fácil y barato conseguirlos, porque están a la mano en casa.

El 60 % de los consumidores mexicanos de drogas iniciaron su consumo con los inhalables.* Como adormecen el dolor físico, el dolor emocional y el hambre, es frecuente que los consuman quienes buscan olvidar sus sufrimientos alejándose de sí mismos.

* Consulta en línea: www.conadic.salud.gob.mx

Después de un tiempo de consumirlos, no se siente hambre, frío o calor, los otros ya no importan, los recuerdos se borran, no se aprenden cosas nuevas, se olvidan las palabras necesarias para hablar y comunicarse.

Su uso frecuente roba el oxígeno del cerebro, entorpece el funcionamiento del corazón y destruye la mielina que ayuda a las fibras nerviosas a transportar los mensajes con rapidez y eficacia.

Causan daños irreparables en el hígado, los riñones y el cerebro; causan sordera, ceguera o parálisis.

Pueden llevar a la muerte por vómito, por asfixia o por un paro al corazón.

POPPERS

Rush, quick silver, iron horse

Son inhalables hechos de una mezcla de alcohol amílico y ácido nítrico que emiten vapores al contacto con el ambiente. Se venden envasados en tubos pequeños con diseños multicolores y aromas frutales.

Cuando se aspiran, se siente calor y euforia, la presión arterial baja, los músculos se relajan, el cuerpo, la vagina y el ano se anestesian, el flujo sanguíneo y el ritmo cardíaco se incrementan. Debido a esta excitación que dura menos de dos minutos se ha creído que son afrodisíacos.

Se han puesto de moda entre los que creen que el placer sexual es algo físico que sólo tiene que ver con la estimulación del cuerpo.

Los que sienten ansia y hambre de placer, y buscan mayor excitación los aspiran sin poder parar.

Usarlos repetidamente puede causar un colapso cardiovascular, un infarto o muerte súbita. Su uso frecuente produce daños irreparables; pueden romper los vasos sanguíneos del cerebro.

A los *poppers*... ¡mejor ni olerlos!

SECOND

PEPE

LIFE

SOY HIJO ÚNICO: EL DÍA QUE NACÍ MI PAPÁ ABANDONÓ A MI MAMÁ.
Nos dijo que él no estaba listo para echarse un compromiso y se fue a vivir
con su mamá. Así fue que crecí en un mundo de mujeres. Mi mamá, mis tías
y mi abuela se dedicaron a consentirme sin darme reglas para la vida.

Todo el tiempo mi mamá me compraba juguetes, avioncitos y
carros para armar; armé unos cuantos, pero lo que más me gustó fueron
los esmaltes y los pegamentos. Sí, creo que estoy muy pegado a ellos, los
pegamentos me pegan duro, no me puedo despegar. Al inhalar, se me olvida

todo, se me olvida la escuela, no me acuerdo de las broncas con mi mamá y con mi novia, el mundo se me desaparece, nada me importa, veo todo lejos como si no me perteneciera.

Para zafarme de la escuela y de mi mamá, me voy a la calle, me la puedo pasar en las maquinitas todo el día. La verdad es que no me gusta estar en la casa; cuando estoy en la casa, me la paso encerrado en mi cuarto viendo películas de zombis, de vampiros o de terror, o sin hacer nada. Es que todo me aburre.

Hace tiempo que siento una gran indiferencia, como si nada me importara: para sentir algo, me tengo que cortar; sólo cuando veo mi sangre siento que estoy vivo. Cuando mi mamá se dio cuenta de que me corto, se asustó y se enojó conmigo. Yo le dije que no era para tanto, pero mi mamá se pone loquita con cualquier cosa. Mi mamá le fue a contar a su jefe todo el asunto de las navajitas; afortunadamente él la pudo calmar, le dijo que teníamos que ir los dos con el psicoanalista porque algo andaba mal entre nosotros. Al fin, ya se dio cuenta de que mis problemas no son sólo míos, se dio cuenta de que los dos tenemos algo que no anda bien.

A mí me dio mucho gusto cuando después de que los dos hablamos ahí en el consultorio, el psicoanalista nos dijo que deberíamos de separarnos, sin romper, poco a poco. Mi mamá no podía creer lo que estaba oyendo porque ella siempre había tratado de resolver los problemas encerrándome más con ella.

CUT-CUT

41

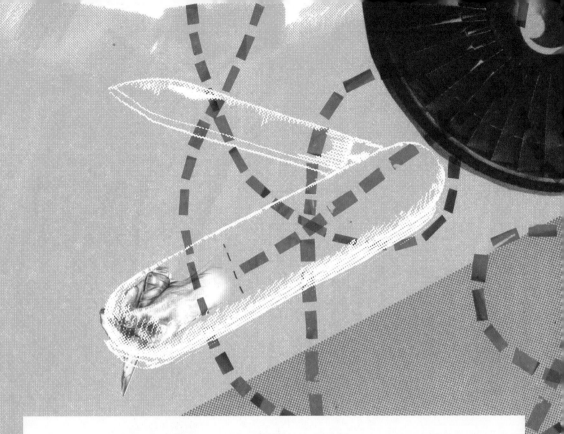

Por mi parte, he tenido que trabajar mucho para soportar lo mal que me siento cuando no tengo inhalantes. No ha sido fácil, pero estoy convencido de que soy lo bastante hombrecito como para vivir sin mi mona.

Ahora, mi mamá y yo estamos aprendiendo a vivir nuestras propias vidas y a separarnos uno del otro. Ella ha tenido que aprender a no sobreprotegerme y yo he tenido que salir a buscar un trabajo. Ha sido muy duro eso de trabajar porque, al principio, a las tres horas de estar en el trabajo me sentía cansado, se me hacía muy pesado, no sabía ser puntual. A mí no me gustaba que me mandaran, perdía los trabajos porque no tenía disciplina y no sabía respetar la autoridad. He ido entendiendo que para poder llegar a tener una vida propia, con novia, familia y carro, tengo que estudiar y trabajar. Me he propuesto tomarle el gusto a las responsabilidades porque quiero sentirme valioso, quiero que me respeten y quiero tener dinero.

Ahora, ya hace un año que estoy en el mismo trabajo. Ahí voy, me he sentido mucho mejor conmigo mismo y con los demás; estoy tratando en serio de despegarme de los pegamentos, de la gasolina y de mi mamá.

ESTEROIDES ANABÓLICO -ANDROGÉNICOS

Chochos, magia, chocolates

3X

Son una variante sintética de la *testosterona*, la hormona sexual masculina. Se llaman *anabólicos* por el crecimiento muscular que promueven y *androgénicos* porque se supone que producen efectos virilizantes.

Se aplican como crema o gel, se toman como chochos o se inyectan en los músculos. Se fabrican en laboratorios muchas veces clandestinos y se venden en algunos gimnasios o por internet.

Estimulan el desarrollo de los músculos, sin fortalecerlos.

El exceso en su consumo eleva la presión sanguínea, agranda el corazón, daña el cerebro, los riñones y el hígado. Impide la producción natural de la testosterona, inhibe las funciones sexuales, reduce el tamaño de los testículos hasta causar esterilidad. A las mujeres, les hace crecer el vello facial, tener la voz más gruesa y altera el ciclo menstrual.

Pueden llegar al exceso en su consumo: a) los jóvenes que no se gustan y se sienten insatisfechos con su imagen; b) los que quieren obtener resultados inmediatos en el gimnasio; c) los que han sufrido algún tipo de abuso.

Cuando se suspende su consumo, se pueden presentar reacciones negativas como cambios de humor, estados de agitación, insomnio y depresión.

El daño que causan en los testículos puede ser reversible si no se usan nunca más y si se recibe la atención médica necesaria.

44

PABLO

NO SÉ POR QUÉ, PERO DESDE MUY CHICO ME DI CUENTA DE QUE NO FUI EL HIJO QUE MI PAPÁ ESPERABA. Como no era de su agrado, constantemente se ponía en mi contra insultándome y humillándome. Mis primos y compañeros hacían lo mismo, me hacían llorar, me decían de cosas. Yo me sentía muy poca cosa, sentía que era un perdedor natural, me sentía sin fuerzas.

Nunca me gustó el futbol porque le tenía miedo a las patadas, tenía miedo de que los compañeros o la pelota me golpearan. Lo que me gustaba era quedarme en mi casa jugando con las niñas. Mi mamá se desesperaba y se enojaba conmigo, pero no lograba que yo saliera a jugar con otros niños.

Así me pasé todos los años de la primaria y la secundaria hasta que un día sentí ganas de entrar al gimnasio a hacer pesas y me convertí en un ratón de gimnasio. Pasaron unos meses y por más que me esforzaba no sentía ni veía cambios en mi cuerpo. Uno de los instructores se dio cuenta de lo desesperado que estaba y, como él andaba en el negocio, me vendió los "chochos anabólicos". Tomé los chochos por unos meses hasta que un día me di cuenta de que mi pene se estaba haciendo más chico y me espanté. Fui con el médico, me revisó y me dijo que afortunadamente estaba a tiempo de detener la lesión. Me explicó que yo no debía insistir en querer ponerme todo fornido porque yo era delgado y me recomendó ir con el psicólogo. Qué bueno que le hice caso porque me ha ayudado mucho.

Entendí que esto de sentirme débil y achicado es una cuestión emocional, que se despierta por el miedo que le tengo a mi papá. Haciendo mi trabajo de ir a hablar con el psicólogo, he ido aprendiendo a no sentir miedo, me he dado cuenta de que mi papá es más miedoso que yo porque él le tiene miedo a la vida y su miedo lo hace ser violento con todo y con todos. Lo mejor es que he aprendido a ponerle palabras a mis emociones, a darle su nombre a las cosas. Gracias a que hablamos, mi papá y yo nos respetamos. Desde que hablo con él, lo veo más paciente con la familia.

He podido aceptar que no voy a ser la gran estrella de televisión ni el rey del gimnasio, estoy aprendiendo a sentirme bien con el cuerpo que tengo. Pude dejar los chochos definitivamente, me siento muy contento de ver que mi pene es de nuevo normal. Acepté que mi futuro no depende de mis músculos, ya me cayó el veinte de que la gente me puede valorar y respetar por lo que soy.

TONY

LA CRISIS DE MI FAMILIA SE ME CRUZÓ CON ESTO DE LA FAMOSA ADO-LESCENCIA: MI PAPÁ PERDIÓ EL TRABAJO, MI MAMÁ SE DESORIENTÓ, mi hermano daba problemas en la escuela, nos cambiamos de ciudad y perdí varias veces a mis amigos.

Con estos cambios, le perdí el gusto a la escuela, pensaba que ya sabía todo, ya no quise seguir y mis papás no dijeron nada, no hicieron nada por obligarme a seguir, no sé si no les importó o si ni cuenta se dieron de lo que me pasaba. Me dieron trabajo en un taller de automóviles. Como empecé a ganar dinero, sentía que ya lo tenía todo, bueno, tenía dinero para lo único que me importaba, o sea, para irme al reventón.

HONGOS, PEYOTE Y LSD

La *mezcalina* del peyote, la *psilobicina* de los hongos y el LSD (*dietilamida del ácido lisérgico*, siglas en alemán) son alcaloides alucinógenos o *psicodélicos*, sustancias de origen vegetal que actúan sobre el sistema nervioso central produciendo alucinaciones.

Las alucinaciones son sensaciones semejantes a los sueños que se desencadenan bajo el estímulo de los *alcaloides*. Pueden ser visuales, auditivas, olfativas, del gusto, del tacto, de la percepción de sí mismo, del equilibrio, de la temperatura propia y de la del medio ambiente. En las alucinaciones auditivas, se pueden escuchar voces amables, seductoras, críticas o amenazantes.

Su uso atrae a los que quieren tener experiencias psicodélicas o a los que quieren reproducir lo que se vive en las culturas que han usado estas drogas.

Para los chamanes huicholes y mazatecas, los hongos alucinógenos y el peyote son alimentos sagrados que sólo algunos pocos pueden consumir. Como conocen bien sus riesgos, los acompañan de preparativos rituales y los toman en pequeñas dosis.*

Los que los consumen, sin darse cuenta, se vuelven vulnerables y pueden caer bajo la influencia de otros.

A algunos consumidores, los hongos y el peyote pueden llevarlos a un "mal viaje" en el que el pánico puede hacerlos que "se pierdan para siempre" o puede conducirlos al suicidio.

* Como una forma de respeto a las tradiciones de los huicholes y para moderar su consumo, el gobierno mexicano les ha otorgado un permiso para consumir el peyote en su peregrinación anual.

49

Yo quería tener experiencias que me alejaran de mi vida, que me sacaran de lo de todos los días. Entonces, empecé a buscar con las sustancias; así fue que probé el LSD. Las alucinaciones me hicieron sentir que mi cuerpo se desbarataba, que me partía en pedazos, estuve perdido por un tiempo, pero afortunadamente pude salir y ya no volví a probarlo. Pasé a los hongos, con ellos escuchaba y veía escenas llenas de color. Primero, me gustaron, pero luego me sentí muy mal y los dejé. Después, probé el peyote, pero desde la primera vez me cayó muy mal. No quiero regresar nunca a estas experiencias; uno tiene unas pocas visiones agradables y bonitas a cambio de un gran terror.

Más adelante, probé las tachas, que eran muy parecidas al ácido, nada más que con las tachas te da dizque mucho amor por todo. Yo me metía una, me relajaba, caminaba por la calle y decía: "¡Guau! ¡Qué increíbles la banqueta y el poste!", me abrazaba del poste y decía: "¡Qué increíble que exista y qué increíbles son la calle, los árboles, las plantas!"

Así estuve como perdido por más de un año. Un día, mi papá se dio cuenta de que tenía un hijo y por fin me vio, se dio cuenta de lo mal que andaba y se propuso ayudarme a salir adelante. Al principio, yo no quería su ayuda, pero él y mi mamá me llevaron casi arrastrando al Centro Nueva Vida. Yo ponía muchos peros, sentía que me iban a encerrar, a fichar o a perseguir si iba a buscar ayuda. Al fin, acepté ir a un centro que queda en una población vecina. No fui de buena gana, me escapé varias veces, pero en mi casa insistieron. Al rato me di cuenta de que ellos son muy respetuosos y que todo lo que uno habla ahí es confidencial. Ya le agarré el modo a la rehabilitación; al principio, uno no se da cuenta de lo que le pasa, pero luego, como que todo se va aclarando. A mi familia ya la veo con otros ojos, como quien sale de la oscuridad, de la confusión y la maraña en la que vive uno cuando consume. Me siento agradecido porque tengo la oportunidad de cambiar y de estar con vida.

COCAÍNA Y CRAC

Coca, perico, grapa, azúcar, novia, base, roca, rockstars

La cocaína es un alcaloide que se obtiene de la planta de la coca. El crac es un derivado químico de la cocaína que se prepara en forma de piedra. Se consumen aspirándolos, fumados o aplicados a las mucosas de la boca o nariz.

Su efecto estimulante se dirige al sistema nervioso central: lo hace liberar más dopamina de lo normal. Cuando llega a los centros de placer, intensifica el estado de alerta; da sensaciones momentáneas de vigor, energía, bienestar, euforia y poder.

Puede atrapar a los que no se satisfacen con nada, a los que repiten el consumo porque desean experimentar la sensación de poder, fuerza, energía o valor.

Como su efecto placentero es muy corto, muy pronto se despierta el deseo urgente de volver a consumir.

En la fase inicial, su consumo acelera el ritmo cardiaco, contrae los vasos sanguíneos, disminuye la ventilación del cerebro, produce hipertensión, taquicardia, dolor de cabeza, dolor de estómago, insomnio o mareo. **En la siguiente fase**, se pueden presentar espasmos musculares, convulsiones o paro respiratorio.

Los adictos a la cocaína o crac son irritables, autodestructivos y violentos, viven dominados por la ansiedad, pueden presentar pérdida de memoria o alucinaciones, comportamientos extravagantes, se sienten perseguidos, desconfían de todo y de todos.

Su consumo repetido y prolongado disminuye las reservas de neuronas y la sensibilidad en los receptores, daña los tejidos, puede debilitar y romper los vasos sanguíneos del cerebro causando parálisis o muerte súbita.

El síndrome de abstinencia a la cocaína o al crac puede durar varios meses, en los que se presenta insomnio, somnolencia, irritabilidad, confusión y deseo urgente de consumir. Para salir de esta adicción, es necesario pedir y recibir ayuda muchas veces. Si se dejan de usar definitivamente, es posible reparar los daños sociales, psicológicos y neurológicos que causaron.

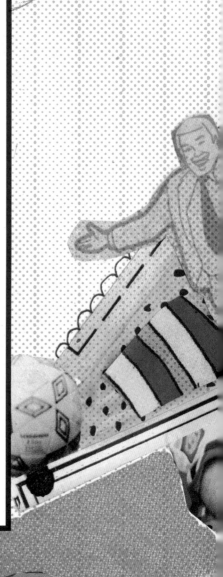

ÉL REY dEL FuTboL

**YO FUI UN HIJO DE LA CALLE QUE QUERÍA SER DIFERENTE A LOS DE-
MÁS. DESDE CHIQUITO SUPE QUE SI ME LO PROPONÍA, PODÍA LLEGAR
A SER UN CAMPEÓN.** Si me dan una pelota, me divierto, juego bien y quiero
ganar; jugar a la pelota me da una paz única.

Siempre fui un gran jugador, un profesional. A los 12 años, gané más
de 100 partidos seguidos; en sólo tres años pasé de ser campeón de la
novena división a ser campeón de la primera división. En el momento culmi-
nante de mi carrera, metí el gol que le dio a mi país el triunfo en el Mundial.
He sido nombrado el deportista del siglo, he recibido reconocimientos en
las universidades más importantes del mundo. Pero todo lo he hecho muy
rápido, no tuve tiempo para tener educación. Como todo en mi vida, las
cosas se me han dado demasiado rápido, tan rápido que no tuve tiempo de

madurar. Me pasaban las cosas sin que yo pudiera elegir, sin tener tiempo para pensar lo que mejor me convenía; me fueron pasando montones de cosas, me llené de admiradores y de amigos, pasé a un mundo distinto, a la portada de las revistas, a la tele, a los reportajes... y todo de golpe. Me pude comprar de todo: camisas, chamarras, pantalones, casas, autos; pasé de una vida a otra, di un salto enorme, pero... ¡a pesar de creer que lo tenía todo, me sentía vacío!

Puedo asegurar que a mí nadie me obligó a hacer lo que hice, nadie me llevó a cometer los errores que cometí; porque cuando uno no quiere, no quiere. Esa porquería de la cocaína la empecé como una travesura más; pero lo que en aquel momento me pareció divertido, se volvió dramático. Cuando uno entra a la cocaína, en realidad uno quiere creer que va a llevar el control, que va a poder parar, que va a poder decir que no... pero termina uno escuchándose decir que sí sin querer. Tú crees que la vas a dominar, que te vas a zafar, pero después se te complica y no te das cuenta de que ya no puedes.

Para mí se ha vuelto una obligación decir todo esto, decir que fui y que soy drogadicto. Lo digo para confirmarle a la gente, por si no lo sabe, que en el mundo hay mucha droga. Contra lo que muchos piensan, la droga está en todos lados, está a la vuelta de la esquina, y digo esto porque no quiero que por no decirlo la agarren los niños o los jóvenes. Quiero que les quede bien claro, quiero que ustedes entiendan bien que la cocaína no sirve para jugar al futbol. Como tampoco sirve para la vida. ¡La cocaína te tira para atrás en la cancha, la cocaína te mata! El único motivo para jugar debe de ser siempre el amor a la pelota, a tu familia y a tu país.

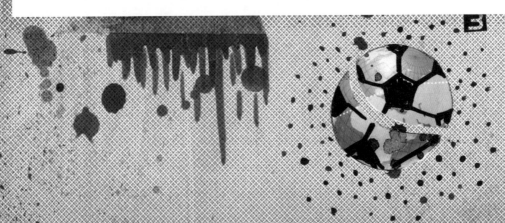

6.2

BOTH FOR 2 50

Ahora me doy bien cuenta de que he vivido en rebeldía. Gran parte de mi carrera he estado sin poder jugar debido a las suspensiones; muchas veces me he quedado sin un peso. Nunca he llegado a entender por qué, mientras más éxito tenía, más me pasaba de todo: me lesionaba, me peleaba, todo se iba degenerando hasta que llegaba a estallar. Muchos dicen que yo estoy hecho de rencor, pero yo no le tengo rencor a nadie. Sé que con mi padre no pude hablar, pero ahora puedo entender que mi padre no tenía tiempo de hablar porque se mataba trabajando para alimentar tantas bocas y, como no tenía el modo de hablarme, me tenía que pegar. Lo que le agradezco es que gracias a él a mí nunca me faltó de comer; gracias a los cuidados que me dio, tuve inteligencia y buenas piernas para el fútbol.

Me duele mucho reconocer lo que he perdido. Lo que más me duele es haber perdido a mi esposa, a mis hijos y a mis hermanos. Todos se me fueron de las manos y no los he podido recuperar; por mis torpezas ya no los tengo.

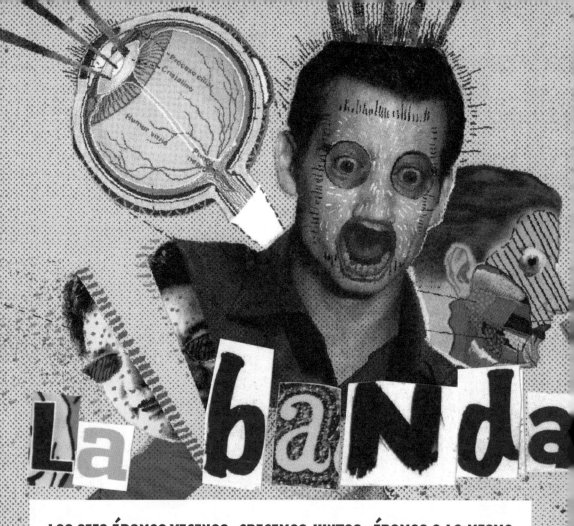

La banDa

LOS SEIS ÉRAMOS VECINOS. CRECIMOS JUNTOS, ÍBAMOS A LA MISMA ESCUELA, NOS PARECÍAMOS MUCHO. ÉRAMOS INSEPARABLES. A todos nos pasaba lo mismo al mismo tiempo: en el mismo año nos regalaron las bicis en que salíamos a pasear y todos reprobamos quinto año. ¡Ojalá que entonces alguien nos hubiera dicho lo que nos esperaba más adelante!

Todos veníamos de familias disfuncionales; no teníamos claro eso de las figuras paterna y materna, mucho menos sabíamos de lo que se trataban el orden, la autoridad y la disciplina, por eso nos necesitábamos tanto y nos volvimos tan unidos.

A los 13 años, probamos la mariguana; unos amigos nos la regalaron. Ese día juramos que nunca nos íbamos a separar. Creíamos que si estábamos juntos nunca nos iba a pasar nada, nos creíamos inmortales.

ÉXTASIS

Cristal, tachas, polvo de ángel, yaba, droga del amor, palitos mojados

Es un polvo blanco y cristalino que produce efectos semejantes a los alucinógenos y a las anfetaminas. Al incrementar los niveles de *serotonina*, *noradrenalina* y dopamina en la sangre, genera sensaciones de ligereza mental y física, euforia, momentos de apertura emocional y conducta desinhibida.

Se vende en forma de polvo, pastillas o palitos mojados (cigarros de tabaco o mariguana que antes de fumarse se mojan en polvo de ángel líquido). Se fabrican en laboratorios clandestinos.

El éxtasis se puso de moda en las fiestas de música electrónica o *raves* porque da una gran energía para bailar e impide que se sienta hambre, frío, sueño, dolor o cansancio. Pero, más tarde, llegan el vacío, el cansancio y la tristeza.

Pueden producir alucinaciones con las que se altera y deforma lo que se ve, oye y siente; se puede alucinar que uno se desprende de sí mismo y del mundo.

Con su uso repetido, los efectos agradables disminuyen y los efectos desagradables, como la confusión, depresión, ansiedad o paranoia, aumentan. Desencadenan crisis de angustia, ataques de pánico, estados de terror o intentos suicidas.

Existe riesgo de deshidratación porque los que lo usan dejan de percibir el cansancio, el hambre y la sed; se olvida de comer, de tomar agua y de ventilar el cuerpo. Su uso en dosis elevadas inhibe el crecimiento, impide los procesos de aprendizaje y puede causar daño neurológico.

60

Lo que en verdad pasó fue que mientras más fumábamos más mal nos iba. Un día, en un concierto, se nos puso mal el *Choco Rol*. Estuvo tomando, revolvió de todo, se le pasaron las cucharadas con las pastas y las tachas, o sea tuvo un pasón, se desmayó y tuvo convulsiones. Nosotros nos asustamos mucho, no se pueden imaginar la bronca que fue llevarlo a su casa. Después de esto, el *Choco Rol* fue el primero en separarse de nosotros. Fue el primero en darse cuenta de que no le convenían la mariguana, las pastas, las tachas, ni todo lo demás, que por ahí no iba la onda.

Por un tiempo nos asustamos y nos portamos bien, pero un día volvimos al consumo de la coca y las tachas. Lo hicimos hasta que Ruy tuvo un infarto. Lo llevamos al hospital, pero no se pudo salvar.

"De los seis que yo tenía, ahora sólo quedan cuatro". El *Choco Rol*, Tito y yo nos rehabilitamos gracias a nuestro esfuerzo y gracias a la ayuda de nuestra familia. Ahora somos trabajadores, deportistas y buenos padres de familia. *El Güero* López es buen cuate, pero se quedó en el pasado. Yo le tengo mucho cariño, pero me da pena verlo. A veces me lo encuentro y me pide dinero; me da tristeza porque es buena onda, pero no sale adelante.

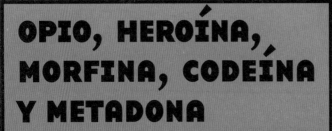

OPIO, HEROÍNA, MORFINA, CODEÍNA Y METADONA

Pasta, H, caballo, polvo blanco, goma

Los *opiáceos* son sustancias alcaloides naturales, sintéticas o semisintéticas, que también se conocen con el nombre de narcóticos. Son analgésicos que se usan con gran cuidado para aliviar el dolor de los enfermos graves.

Actúan sobre el cerebro y la médula espinal produciendo somnolencia y sedación; después viene la analgesia, la somnolencia y la apatía. Inhiben el metabolismo, hacen más lento el ritmo cardiaco, el ritmo respiratorio y la digestión. Su efecto es semejante al estado de hibernación en los osos.

Paralizan; impiden la atención, la memoria y el desempeño intelectual.

Inhiben las respuestas del sistema inmunológico del organismo exponiéndolo a infecciones.

Después de una historia de consumo de diversas sustancias, suelen usarlos los que insisten en buscar efectos más intensos y éste puede ser el paso final, del que difícilmente regresan.

El síndrome de abstinencia es aparatoso y prolongado, pero no representa ningún riesgo para la persona. Inicia con moqueo, lagrimeo, calambres; se acompaña de una fuerte ansiedad; y horas o días después se pueden presentar convulsiones y alucinaciones.

Para alejarse del consumo de los opiáceos, se requiere de ayuda profesional, del esfuerzo de la familia y del cariño de los buenos amigos. Si dejan de consumirse, definitivamente el daño causado puede ser reversible.

La glándula suprarrenal y la hipófisis producen las morfinas del interior o *endorfinas*, que tienen como función regular el dolor y el placer. Con el ejercicio físico, se estimula la secreción natural de endorfinas.

62

ADRiáN

A LOS 17 AÑOS EMPECÉ A TRABAJAR EN EL MUNDO DEL ESPECTÁCULO, YO CREÍA QUE AL ESTAR EN ESE MUNDO TENDRÍA DE TODO: amigos, viajes y diversión. Como en el trabajo tenía compañeros que consumían sustancias, conocí la cocaína y la mezclé con el alcohol. De ser el ayudante que se encargaba del sonido y de la iluminación, me empecé a creer la estrella del espectáculo.

En el trabajo, los horarios eran muy desordenados: trabajábamos día y noche sin descanso, viajábamos de una ciudad a otra, cuando no trabajábamos, nos la pasábamos en el reventón. Me metía la cocaína para el cansancio y el alcohol para borrar la realidad; después de la tercera copa, no veía las cosas tan graves, me relajaba, lo importante dejaba de importarme.

Sabía que hacía cosas malas y por eso me sentía culpable. Todo esto se me volvió un círculo en el que yo sentía conflictos y culpa por lo que estaba haciendo. Y bebiendo, según yo, ya no les prestaba atención.

Entonces, entré en una etapa de consumo muy fuerte; le llegué a la heroína. Tenía una gran separación con todo, ya no me gustaba ver ni tratar con la gente, ya no iba a mi trabajo, me la pasaba encerrado en mi cuarto. Lo que sí tenía a mi lado era gente que venía a consumir y a escucharme porque, según yo, tenía muchas cosas que decir. Pensándolo fríamente, lo que yo necesitaba era un público para convencerme de que no estaba mal, para que me dijeran que estaba bien; yo les hacía unos tremendos discursos de lo grande que era, de lo bien que dizque controlaba las sustancias y el mundo a mi alrededor; necesitaba público para que me dijera que yo estaba en lo correcto. Mi público era gente que evidentemente me iba a decir que sí a todo, era mi club de fans que estaban ahí por las sustancias.

Ahí, por fin, me di cuenta de que estaba consumiendo demasiado y que podía morir. A pesar de todas las tonteras que había hecho, me di cuenta de que amo la vida. Es por esto que le fui a pedir ayuda a mi familia, les pedí que me acompañaran a una clínica, les pedí prestado dinero para pagar el internamiento porque yo ya no tenía dinero para nada.

Me interné en una clínica para adictos por más de un año. Gracias a ellos y a mi familia salí adelante. Ahora ya tengo cinco años trabajando bien, no he recaído ni pienso volver atrás. Sé que quiero vivir, quiero tener mi propia familia y no quiero perder mi trabajo ni mis proyectos para el futuro.

SEGUNDA PARTE

VIVIR SIN DROGAS

EL MOMENTO DE PEDIR AYUDA

Después de haber leído las páginas anteriores, ¿cómo te sientes? ¿Crees que te gustaría comentar lo que has leído con alguien? ¿Te gustaría aclarar dudas o expresar tu opinión? ¿Te gustaría hablar con alguien que pueda escucharte?

A veces pasa que cuando necesitamos ayuda no la podemos pedir porque nos sentimos confundidos o porque se nos dificulta hablar.

Es importante saber que sentimos la necesidad de callar cuando nos da vergüenza lo que hacen nuestros seres queridos o cuando nos sentimos culpables. Nos mantenemos en silencio cuando sentimos que hablar es una traición o cuando sentimos miedo porque alguien más grande o más fuerte abusa de nosotros. Para ser escuchados y para tener ayuda, debemos hablar de lo que sentimos y de lo que nos pasa.

SEÑALES DE ALERTA

Si sientes que ya no controlas tus emociones y tus actos, que se te escapan las riendas de tu vida...

Si te sientes alejado de todos, sin interés en tu vida o en la de los demás; todo te aburre, sólo deseas beber, fumar y echar la flojera...

Si cuentas los días para el siguiente trago, si cada copa es más urgente que la anterior...

Si el alcohol te torna violento y te hace pelear...

Si ya no distingues una fiesta de una peda...

Si tienes uno o más familiares o amigos que consumen...

Si repites que tú no tienes problemas y dices que cuando quieras puedes dejar de consumir...

Si los únicos amigos que existen para ti son los compañeros de consumo, no puedes vivir sin ellos, los defiendes y los extrañas...

Lo inteligente y *cool* es decir: "Yo aquí le paro, ya no le entro".

Es el momento de pedir ayuda... Verás que no te vas a arrepentir.

Cuando se trata de pedir y tener ayuda todo es bueno, todo puede servir. Se puede buscar la ayuda de un psicólogo, un psiquiatra, un psicoanalista, un maestro, un sacerdote, un buen amigo.

El **Centro de Orientación Telefónica (COT) 01 800 911 2000** ofrece escucharte, darte información y asistencia para ti, un amigo o un familiar, las 24 horas del día, los 365 días del año.

LA ESCRITURA Y LA LECTURA

Escribe un poco cada día, escribe para ti. Ahora mismo puedes tomar un cuaderno para anotar tus preguntas y leerlas más tarde, puedes dibujar, hacer garabatos o copiar algo que te guste. Puedes escribir chistes, cuentos, notitas para tus amigos. Escribe tus fantasías, tus sentimientos, tus experiencias, tus recuerdos; no es mala idea escribir un diario que te lleve a tener la memoria escrita de tu vida.

Con la lectura, el dibujo y la escritura, aprendes a expresarte mejor, se desarrolla tu imaginación, vives aventuras, conoces mundos diferentes.

Si formas un grupo, si te reúnes con dos amigos o más para jugar con el lenguaje, disfrutarás más la lectura y la escritura.

Para escribir o leer, sólo necesitas desear hacerlo y tener un buen libro, lápiz y papel.

SUFRIMIENTO LIBERADOR

Escribir ha ayudado a Claudio Isaac en su lucha por superar el alcoholismo. Él reconoce que "no es fácil ponerse a escribir", hay que proponérselo: se requiere sentarse en la mesa, frente a la computadora o con el lápiz, la pluma y el papel; es necesario concentrarse y hacer el esfuerzo. Uno puede hacerse preguntas para ponerlas por escrito; hay que insistir. Si no encuentras las palabras y la página sigue en blanco, descansa un poco hasta poner por escrito lo que llevas dentro.

La escritura es la profesión de Claudio. Ha escrito dos novelas: *Alma húmeda*[4] y *Cenizas de mi padre*.[5] En ellas habla sobre su adicción, su internamiento en una clínica de rehabilitación, su pasado y sus planes para el futuro.

Claudio dice que, una vez que se lo propone, con la escritura puede "vivir un sufrimiento liberador. Al sentarme a escribir: me reviso las palmas de las manos, llevo una junto a otra a modo de libro abierto, como si tratara de ver mi rostro en un espejo opaco, sin destello, sin reflejo, un espejo mudo y ciego, sin mirada de vuelta. Me reconozco, no me reconozco; soy yo, no soy yo". Al leerlo podemos entender las dificultades, las limitaciones y dudas que él y todos podemos tener cuando nos proponemos escribir. "Abro el cajón donde guardo lo que ya llevo escrito. Encuentro que son pocas las cosas que tengo que decir, que las digo una y otra vez con palabras que cambian poco". Se pregunta cuál es el sentido que tiene ponerse a escribir. "¿Es esto una forma de purga, una letanía que me ha de curar de algo? ¿Por qué requiero decirlo, decírmelo una y otra vez?".

Las preguntas que se hace sobre su historia nos permiten conocerlo y darnos cuenta de que es uno de nosotros. "Me pregunto. ¿De dónde salí yo, amedrentado por la vida misma? Yo, que nunca he querido viajar, que le he rehuido a cualquier novedad apenas se asome por el horizonte. En algún momento, opto por achacarle esa responsabilidad a mi madre, porque cuando mi madre me llevaba en su vientre, recibió la noticia de la muerte de su hermana mayor, presumiblemente fue un suicidio".

Continúa reflexionando y dice: "Mi padre nació huérfano de padre —su padre, que era ferrocarrilero, murió como consecuencia de un accidente

4   Ediciones Zarabeska, Colección Ojo Vigilante, 1998.
5   Juan Pablos, 2008.

de tren– su madre murió cuando tenía algo así como diez años. Poco después de nacer, su madre viuda lo entregó a tres tías solteronas en la ciudad provinciana de Colima. Cuando vuelta a casar lo fue a recoger a Colima, mi padre de unos seis o siete años, la desconoció y se rehusó a regresar con ella a la capital". Describe la relación que tuvo con su padre, describe las carencias que tuvo su padre, que son parecidas a las de muchos padres que conocemos. "Mi padre sin padre no representó un sólido marco de referencia emocional en el modo que la tradición dicta; cuando decidí, durante el primer año de la preparatoria, dejar la escuela, mi padre me apoyó sin titubeos. ¿Me habrá apoyado en esta decisión de desertar porque le daba poca importancia y quería evitar una confrontación con su hijo adolescente? Por temporadas largas no lo sueño, no tengo recuerdos suyos, ni siquiera imágenes borrosas, mi padre deja de existir en todos los planos. Yo también dejo de existir por temporadas, al menos el que creo ser y reconozco me resulta ajeno, otra persona que no soy yo me habita".

Con la escritura enfrenta su violencia y destrucción para buscar entenderlas y resolverlas. Escribiendo le resulta menos confuso y penoso saber qué hacer con su dolor. "Desde niño me dediqué a romper juguetes, propios y ajenos, me gustaba forzarles las extremidades al límite, hasta descabezar un muñeco o dejarlo sin algún otro miembro, irreparablemente baldado. A los diez años un instinto ciego me llevó hasta el cajón donde mi padre guardaba su revólver, lo disparé hacia el interior del oscuro ropero, nadie jamás me dijo nada, el estruendo me espantó tanto que guardé con prisa el arma y me fui a ocultar tras un cuaderno de dibujo en mi cuarto. [...] Yo no sé confrontar la alta tensión entre personas. Prefiero echarme al suelo, boca arriba, como un cachorro inerme que se rinde, o bocabajo como quien se hunde en la tierra para evadirlo todo. Prefiero hacer cualquier circo, maroma o teatro con tal de no confrontar las brusquedades o asperezas del mundo. Le tengo un miedo atávico al enojo de los otros, que por dentro no puedo sino entender como una amenaza de muerte".

Leer a Claudio es una invitación a escribir. Nos hace sentir que escribiendo podemos descubrir y procesar las emociones, podemos vernos a nosotros mismos y a los otros de una manera diferente, y entender que hay otras maneras posibles de resolver nuestra vida. Escribir es una forma de ensayar maneras diferentes de enfrentar las dificultades de vivir. La escritura ha hecho que Claudio camine por muchas páginas, tantas que ya ha escrito dos novelas y ha podido reescribir su vida.

LUGARES PARA APRENDER A ESCRIBIR

Sistema de Información Cultural (SIC).
Encontrarás un mapa del país con la información de los centros y casas de cultura que imparten talleres, cursos de verano, talleres de literatura, técnicas básicas del cómic y lectura en voz alta.
sic.conaculta.gob.mx
conaculta.gob.mx/estados

Centro de Creación Literaria Xavier Villaurrutia (INBA). Tiene como objetivo formar creadores literarios en diferentes ciudades de la República y en la Ciudad de México. Cuenta con un grupo de maestros especializados en cuento, novela, poesía, teatro y guión que constantemente imparten diplomados, cursos, talleres de poesía, talleres de narrativa y dramaturgia.
86475280
literatura.bellasartes.gob.mx

Subdirección General de Educación e Investigación Artística (SGEIA). Cuenta con 1600 casas de cultura y centros culturales en todo el país. En algunos de estos centros hay grupos de lectura y talleres de escritura.
sgeia.bellasartes.gob.mx

Faro de Oriente en Iztapalapa. Tiene talleres de escritura y poesía, taller de escritura autobiográfica para mujeres; talleres, clubes y círculos de lectura para niños y jóvenes.
farodeoriente.org
talleresfarodeoriente.blogspot.mx

Escuela de Escritores de la Sociedad General de Escritores de México (Sogem). Ofrece cursos, talleres y diplomados, presenciales y en línea, para escribir poesía, teatro, ensayo y narrativa; también para la realización de guiones de cine, teatro, radio y televisión.
escueladesogem.com

73

LA MÚSICA

Escucha bien. Vamos a ponerle alegría al corazón, ritmo y armonía a nuestra vida, vamos a vivir con la música por dentro.

La música es lo máximo porque, cuando escuchamos música, cantamos, bailamos, tocamos un instrumento o componemos una canción, nos ponemos en contacto con nuestras emociones, le damos armonía y palabras a la tristeza, el amor, la alegría, la soledad. Porque cuando bailamos nos sentimos ligeros y flexibles, expresamos con el cuerpo nuestras emociones y pasiones. Si uno canta, baila o toca un instrumento, puede pertenecer a una banda, grupo, coro u orquesta con amigos con los que disfruta y se divierte.

EL ROCK Y LA ORQUESTA

- Soy José, tengo 18 años, hago música y muchas otras cosas como pintar y escribir. Hace seis meses terminé la prepa, en agosto voy a entrar a un instituto para estudiar artes.

Lo de componer música empezó porque tenía tiempo libre y no sabía qué hacer. Con la computadora escribí unas cancioncitas que no esperaba que trascendieran mucho, pero con internet creció esto que he estado haciendo. Soy miembro de una banda que se llama Little Ethiopia, toco música electrónica, rock y un poquito de lo que he escuchado en todos lados. He tocado en festivales, en varios lugares en la ciudad y en otros estados.

Toco el teclado porque en la primaria tenía clases de piano. El teclado de la computadora me abrió la posibilidad de tocar todos los instrumentos, es infinito porque puedo poner sonidos de trompetas, de guitarras y de muchos instrumentos.

Los temas de los que escribo varían, escribo de amor y de lo que es vivir en una ciudad enorme. Se me dio escribir las canciones en inglés porque en mi primaria y secundaria fui a una escuela bilingüe.

Voy a hablar de dos canciones que escribí. Una se llama *Fake guns* y dice: "*We are so numb*" (Somos ya tan indiferentes) "*that we won't run*" (que no correremos) de las "*fake guns*" (pistolas falsas). Escribí este tema de las pistolas cuando leí en el periódico que el 70 % de los asaltos en la Ciudad de México eran con pistolas de madera; entonces, dije: "Voy a escribir de eso, de lo que son nuestros miedos", pues sí.

La que se llama *Hurt* la escribí justo después de terminar con mi novia. Fue un rollo, estaba muy lastimado, quería vengarme con la canción. Es que terminamos y como a las dos semanas ella ya estaba con otra persona. Como me sentí muy lastimado, quise lastimarla. Sí, estaba yo como un poco vengativo. Esa canción dice: "*I was the king of your heart and I didn't see my coffin*" (Yo era el rey de tu corazón y no vi mi ataúd) "*and it was a very slow homicide*" (fue un homicidio muy lento), pero ahora ya veo la luz. Así dicen las estrofas y luego entra el coro que dice: "*I want you to be hurt by me*".

Las cosas que hago, que escribo, que pinto, son trabajos introspectivos muy personales. Al escribir las canciones o al pintar, busco autoconocerme, encuentro cosas, sentimientos que no había encontrado antes, y pues todo esto es un proceso de autoconocimiento, eso busco en cada canción y en cada cuadro. Trato de ponerle palabras a las cosas que siento y pienso, con cada canción conozco una parte de mí que no conocía antes.

Para mí, así es como se debe hacer una canción de verdad: las canciones debe uno de sentirlas. Si de verdad le pusiste las palabras adecuadas a lo que estabas sintiendo en ese momento, pues te ayuda a entenderte. Es como soltar lo que tienes dentro, ya se verá si la canción tiene *appeal* ante todos.

Las otras canciones que he escrito con la banda son canciones de amor. Mi amigo escribió una canción en la que habla que desde que conoció a esta persona, desde que están juntos, ya no hay consecuencias en la vida porque está muy enamorado. Pero igual, se trata de sacar lo que hay dentro.

Creo que escribir me ha ayudado a estar mejor, pienso que todas las experiencias que voy teniendo pueden ayudarme a escribir una canción. Al escribir, paso a otro nivel de entendimiento. Al poner las palabras, como que te lo explicas y entonces lo entiendes. Así me conozco a mí y así, pues, vivo mejor mi vida.

Yo creo que hay ciertas melodías que expresan mejor ciertas emociones. Unos acordes expresan amor, otros expresan tristeza. Cuando te llegas a identificar con las notas que estás tocando en ese momento, la música te ayuda a proyectar lo que estás sintiendo. Yo necesito, aparte de que sea bonito o estético, identificarme con lo que estoy tocando, necesito sentir con esa nota, con ese acorde o esa melodía.

Sí, ya sé que he hablado mucho del autoconocimiento, pero creo que es una de las partes más importantes de la vida. Al conocerse uno mismo, como que entiende mejor lo que pasa alrededor. Si tú no lo sientes, si tú no lo vives, si por ti mismo no lo entiendes, ¿quien más te lo va a enseñar? Creo que todos los que lean este libro deberían de seguir el camino de buscar entenderse y así. Si los otros no los entienden, pues allá ellos. El chiste es llegar a conocerse uno mismo para saber qué nos hace bien y qué nos hace mal y para entender cómo es que ciertas cosas nos pasan, y para entender la forma en la que cada uno vive lo que le pasa... y para vivir mejor.

- Me llamo Roberto, tengo 16 años y quiero llegar a ser director de orquesta. Crecí en una familia en la que nada funcionaba bien. Éramos mal vistos, decían que éramos violentos. Me sentí diferente cuando me eligieron para entrar en un programa de música para niños. Ser elegido me hizo sentir valioso, cambió mi vida, logré sentir que uno puede estar en contacto con su espíritu para sacar lo bueno que tiene dentro. Aprendí que la terquedad se puede convertir en insistencia, luego en perseverancia y que el que persevera alcanza.

Estoy estudiando música porque quiero dirigir una orquesta. Quiero estar en el más alto nivel, quiero ser un líder fuerte, también quiero ser una buena persona. Quiero llegar a ser como mis maestros que saben hablar, que saben debatir sin llegar a la violencia, que saben tocar música y crear. Yo creo que tocar, componer, soltar las ideas, es la forma más efectiva e infalible para hacer la catarsis de mi vida. Mi meta es lograr la armonía entre lo espiritual y lo material. Quiero darme armonía a mí mismo para poder transmitirla a los demás.

Conservatorio Nacional de Música
sgeia.bellasartes.gob.mx

Escuela Nacional de Música
enmusica.unam.mx

Conservatorio de las Rosas en Morelia. Ofrece cursos gratuitos en internet para estudiar guitarra eléctrica, batería, bajo, piano, teclado, canto, rock, pop, jazz y música latina.
conservatoriodelasrosas.edu.mx

Música en Armonía del Sistema Nacional de Fomento Musical (Conaculta). Registra 114 agrupaciones musicales comunitarias (coros, bandas, orquestas y ensambles) en gran parte del país. Sus objetivos son que los niños y jóvenes fortalezcan su identidad y sentido de pertenencia a través de la práctica musical en grupo y que cultiven valores como la responsabilidad, la disciplina y el trabajo en equipo. Por la cantidad de agrupaciones, en algunos estados se han creado sistemas:
Sistema Se' Wá - Chihuahua
Sistema Renacimiento - Guerrero
Sistema Redes 2025 - Baja California
Sistema Sonemos - Morelos
Sistema Ecos metropolitano - Jalisco
Sistema Bajío - Guanajuato
Sistema Bijeo - Oaxaca
Sistema Potosino - San Luis Potosí
Sistema Jimbani Erándekua - Michoacán
snfm.conaculta.gob.mx

Esperanza Azteca y Tocando Vidas de Fundación Azteca. Han integrado una red nacional de orquestas sinfónicas y coros para brindar una mejor calidad de vida a niños y jóvenes de escasos recursos. Se han formado 70 orquestas en la mayoría de los estados de la República. Su lema es desarrollar mejores seres humanos a través de la música. En la antigua fábrica textil La Constancia Mexicana de la ciudad de Puebla está la sede nacional y el centro de capacitación.
fundacionazteca.com
esperanzaazteca.com.mx

Escuelas de Iniciación Artística (INBA). Ofrecen iniciación al proceso educativo en cuatro disciplinas artísticas: danza, música, teatro y artes plásticas; en tres categorías: infantil, juvenil y adulto.
bellasartes.gob.mx
sgeia.bellasartes.gob.mx

Centros de Educación Artística (Cedart). Integran los estudios de bachillerato con cuatro áreas artísticas: danza, música, teatro y artes plásticas. Hay centros en Querétaro, Oaxaca, Morelia, Monterrey, Mérida, Hermosillo, Guadalajara, Colima, Chihuahua y Ciudad de México.
bellasartes.gob.mx
sgeia.bellasartes.gob.mx

Faro de Oriente en Iztapalapa. Imparten talleres para iniciar al alumno en la lectura y prácticas musicales. En los talleres de percusiones, guitarra eléctrica, bajo eléctrico, solfeo, música tradicional mexicana y ensambles básicos, los alumnos aprenden a interpretar un instrumento e integrarse en un grupo o coro. Los talleres de composición musical dan al alumno las herramientas necesarias para que pueda expresarse por medio de sus composiciones. Para los que quieren desarrollar las habilidades de dirección y finanzas relacionadas con el mercado de la música, se imparten talleres de *music management*.
faro de oriente.org
talleresfarodeoriente.blogspot.mx

Casas de cultura y centros culturales de la Subdirección General de Educación e Investigación Artísticas (SGEIA). Se imparten clases de música. El directorio se puede consultar en línea:
sgeia.bellasartes.gob.mx
eiaa.bellasartes.gob.mx

EL TEATRO

En el teatro se puede participar como público, actor, director o autor de una obra. Al hacer teatro se aprende qué es la vida, se hace más profunda la relación con uno mismo y con los demás. Se desarrolla la capacidad de escuchar, la capacidad de esperar a que sea el tiempo para hablar y reaccionar. También se practican diferentes maneras de relacionarse con uno mismo y con los demás en diferentes situaciones: se puede cambiar la imagen, se puede jugar a ponerse en el lugar del padre, en el de la madre, en el del hermano, en el de la hermana, en el del hijo, en el de la hija. Con el teatro cada uno se hace responsable de su violencia, de sus limitaciones y fracasos. Quien se dedica al teatro puede tener reconocimiento, éxito y aplausos.

CAMBIANDO LA VIDA DESDE EL ESCENARIO

En el Foro Shakespeare de la Ciudad de México,[6] desde hace 30 años se presentan obras de teatro y se imparten talleres con diferentes métodos de experimentación teatral sobre actuación, dirección, improvisación, payasos, doblaje. Hace cinco años, este foro colaboró en la integración de la Compañía de Teatro Penitenciario en Santa Marta Acatitla, que actualmente cuenta con tres puestas en escena. Los internos que participan en la obra dicen: "El teatro ha cambiado nuestra forma de vida, ahora deseamos leer y estudiar en lugar de consumir drogas".

Otro buen ejemplo de cómo el teatro puede cambiar nuestra manera de ver la vida es Augusto Boal, un escritor y director de teatro brasileño

81

conocido por su Teatro del Oprimido, un teatro pedagógico que trata de hacer posible la transformación social. Boal creó el método del "espect-actor", un método dirigido a generar cambios en el autor, el actor y el espectador. Para él, la posibilidad de participar en esta experimentación teatral permite generar una acción social concreta[7].

En este método, el autor escribe una obra breve sobre algún problema con el que los actores y los espectadores se sientan identificados o aludidos: amor, muerte, amistad, violencia, trabajo, pareja, relaciones entre padres e hijos, entre hermanos, etcétera.

En la primera presentación, se muestran los personajes y el problema sin llegar a una solución. Una vez terminada, los espectadores participan, tienen la posibilidad de subir y sumarse a lo que pasa en la escena, pueden parar la obra, sustituir a cualquier personaje, dar direcciones y cambiar el guión para aportar soluciones alternativas al problema expuesto. Los actores en escena deben ajustarse a las nuevas propuestas y situaciones improvisando todas las posibilidades que las modificaciones de los espectadores les ofrecen. El autor, el director y todos los participantes trabajan con sus experiencias personales para explicarse las consecuencias de sus malas decisiones, para cambiar sus historias de maltrato o violencia y para aprender que la tragedia consiste en la repetición de aquello que se trata de evitar.[7]

LUGARES PARA ESTUDIAR TEATRO

Casas de cultura y centros culturales de la SGEIA
sgeia.bellasartes.gob.mx

Universidad de Guanajuato. Ofrece talleres de actuación para niños y adultos.
extension.ugto.mx

Escuelas de teatro en Jalisco
cultura.udg.mx

Artes escénicas y Actuación en la Universidad de Sonora
uson.mx/oferta

Faro de Oriente en Iztapalapa. Se imparten talleres de escenografía y producción teatral; también tienen un taller de teatro bufo.
farodeoriente.org
talleresfarodeoriente.blogspot.mx

Compañía titular de teatro de la Universidad Veracruzana
organizacionteatral.com.mx

7 Consulta información sobre la compañía Teatro sin paredes.

EJERCICIO Y DEPORTE

Es tan grande la variedad de deportes y actividades físicas que existen que todos podemos encontrar alguna que nos guste, corresponda con nuestras facultades y posibilidades, y se pueda practicar en el lugar en que vivimos.

Es posible elegir entre actividades que se practican individualmente o en grupo; actividades que se pueden practicar en la casa, en el agua, en la montaña, en un gimnasio, en la calle, al aire libre. Podemos jugar futbol, vóleibol, béisbol o básquetbol; practicar ciclismo, maratón o caminata, natación, yoga, judo, baile, triatlón, atletismo, gimnasia, patineta, *squash*...

Los deportes transmiten valores como respeto, compromiso, responsabilidad y dedicación. Enseñan cómo relacionarse con una autoridad congruente, con reglas claras, con respeto para todos. Se aprende a competir sin violencia y aceptar la derrota sin apartarse de las metas. La actividad física hace que nuestro cuerpo esté fuerte, flexible, ágil y en buena forma. Nos da el placer de los logros y el éxito.

Claudia Hernández nos habla de cómo el tenis ha sido su amigo y compañero, su pasión, su ejemplo y fortaleza.

EL TENIS ES UN FILTRO QUE PURIFICA

Voy a hablar del tenis porque es lo que más me gusta, pero lo mismo se puede decir de los otros deportes. Lo que importa es practicar el deporte desde el corazón, eso te abre la mente y expande tu manera de ver la vida.

El tenis te exige comportarte bien, ser amable y honesto; te hace ser mejor persona, entrar en el mundo de la entrega verdadera y de la disciplina que lleva a la responsabilidad y al orden. El tenis te aleja de los malos pensamientos y te limpia. Es como un filtro que purifica.

El tenis se volvió mi pasión a los ocho años. Siempre quise dedicarle todo mi tiempo. Al salir del colegio, me iba al club; si no encontraba con quien jugar, peloteaba en la pared y me decía a mí misma: "Tengo que pasar cien pelotas y aguantar". Al llegar a mi casa, por la noche, hacía la tarea.

A los 16 años, fui campeona nacional y en 1982 representé a México en los Juegos Centroamericanos y del Caribe en la Habana, Cuba. Estuvimos 21 días en las villas bañándonos con agua helada. Al final, gané la medalla de oro. La premiación fue muy emocionante: después de subir al podio, oí que decían "primer lugar: México", luego tocaron nuestro Himno Nacional.

Seguí jugando enfocada en llegar a ser una de las primeras tenistas del mundo. Para lograrlo, me esforzaba por superar mis defectos, mejorar mi condición física, aumentar mi velocidad y lograr el control de mi carácter.

A los 18 años, tuve una fractura en el pie y durante tres meses no pude desenvolverme en la cancha. Estaba furiosa, me sentía totalmente bloqueada y pensé que nunca volvería a jugar como antes. Pero luego me dije: "Bueno, con calma, a ver qué pasa". Seguí entrenando y se fueron desenredando los nudos de mis emociones. Cuando uno siente que se le viene el mundo encima es bueno darle tiempo al tiempo, pero sin perder el enfoque.

En 1988, obtuve un lugar para representar a mi país en las Olimpiadas de Seúl. Esto ha sido lo más satisfactorio de mi carrera. Jamás olvidaré el orgullo que sentí; lo recuerdo y se me hace la piel chinita. Antes de entrar al estadio, dentro del túnel, se oía un gran zumbido: eran las voces de las 130 000 gentes que asistieron a la inauguración. Estaba muy emocionada, estábamos al lado de los atletas de más alto nivel de todo el mundo. De repente, el delegado nos llama a desfilar y nos dice: "Al saludar tengan la mirada en alto, recuerden, es por México".

Aunque ahí me tocó jugar un partido con una tenista que era mejor que yo y perdí, me siento triunfadora por todo lo que he recibido del tenis y por

la Copa Claudia Hernández, un torneo nacional para tenistas de 9 a 18 años donde busco sembrar la semilla del amor al deporte, a ver si crece.

Lo que me ha sostenido en mi carrera es querer ser cada día mejor tenista y mejor ser humano. He entendido que todos los días tengo que hacer un esfuerzo extra: que debo levantarme temprano, lograr un mejor golpe, una mejor movilidad. Sé que flaqueo, que mi debilidad es ser muy sensible. Sé que debo mantener el hábito del pensamiento positivo, pero ése no llega solo. Todos debemos aprender a decir: "Éste soy yo, sí puedo, sí valgo, sí quiero". Pero, ¿cómo hacerlo? Para mí, todo parte de la voluntad. Lo que me mueve es el querer ser. Para llegar a ser, debemos cerrar los ojos y ver la foto de a dónde queremos llegar. Para fortalecer nuestro espíritu, debemos darnos un tiempito para estar con nosotros mismos.

El tenis me ha hecho inclinarme hacia lo positivo. Uno aprende que si está en la cancha y se empieza a enojar, pues... el que se enoja pierde. Cuando me doy cuenta de que voy mal, me digo: "Claudia, piensa en la estrategia, piensa en cómo vas a hacer para ganar. Sí, la regaste... pero no te enojes, mejor piensa cómo le vas a hacer para ganar". En el curso de mi vida, muchas veces he aprendido más de la derrota que del triunfo.

Uno puede lograr todo lo que se propone si se traza metas alcanzables. A mí me han pegado muchas cosas en mi vida; por ejemplo, estar en los torneos y extrañar mi casa; pero no por eso me comía todas las galletas que podía. Sabía que después de comerme las galletas seguiría extrañando mi casa y además me sentiría furiosa por tener dos problemas en vez de uno. Uno debe pensar, entender y sentir qué es lo que uno quiere verdaderamente, cómo es la vida que quiere uno vivir.

Muchas veces la inestabilidad emocional nos confunde. En vez de arreglar los problemas, uno le puede llegar al alcohol, a la comida o a una droga. A los que tienen problemas emocionales les digo que no los aumenten, mejor solucionen sus problemas y no se vayan a golpear con la adicción.

Me gustaría decirle a los jóvenes que sufren o a los que están padeciendo algún tipo de adicción que no se sientan solos, que busquen ayuda. Si están contaminados con alguna adicción, el deporte los puede ayudar a limpiarla. Cuando quieran y se decidan, vayan y busquen ayuda; no descarten el deporte porque es una herramienta que los puede ayudar a liberar mucho el rencor, el resentimiento, la furia o la frustración. De corazón les digo, a través del deporte yo veo esperanzas de saneamiento porque con el esfuerzo físico se produce una sensación que libera y trae felicidad. Si son católicos o creen en Dios, vayan y pidan ayuda espiritual. No se sientan solos, todos padecemos problemas emocionales, siempre hay gente buena para ayudarnos. Busquen la ayuda y no se destruyan.

Si quieren aliviarse, analicen sus problemas; si no lo hacen, no van a salir nunca del atorón que traen. Si están dispuestos, hagan su propio compromiso, pongan las fechas y trabajen para lograrlo. Primero deben reconocer que tienen un problema. Deberán preguntarse: "¿Por qué llegué a esto?, ¿qué problemas me molestan?, ¿qué me incomoda?" Les recomiendo poner el problema en palabras, en papel y tinta.

Todos los días pónganse unos tenis y vayan a correr o a caminar, o saquen una cuerda y pónganse a brincar. No se vale decir al minuto "Ay, ya me cansé". ¡No! Es necesario cansarse, que salga el sudor, que les cueste trabajo el esfuerzo físico: les aseguro que el cansancio les va a traer cosas positivas.

LUGARES PARA PRACTICAR DEPORTES

Centros del Deporte Escolar y Municipal (Cedem). Son espacios adecuados para la práctica deportiva. Contribuyen a cuidar y mantener los hábitos deportivos para incorporarlos al estilo de vida de la población. Encontrarás el listado y la ubicación de estos centros deportivos en línea.
cedem.deporte.org.mx

Asociación de Baloncesto Organizado A.C. Esta organización civil promueve el conocimiento de la historia del deporte, premios y reconocimientos, y programas de apoyo al básquetbol en varios niveles y regiones .
abo.org.mx

Academia de Baloncesto Indígena en México. Esta asociación civil busca el desarrollo y fomento del baloncesto como forma de educación y puente cultural en comunidades indígenas. Destaca por el proyecto de un equipo de niños triqui campeón en competencias internacionales. Pronto se ampliará a los estados de Puebla, Chiapas y Estado de México.
abimoaxaca.com

Asociación de Ligas Infantiles y Juveniles de Béisbol de la República Mexicana A.C. Es una asociación civil, no lucrativa, afiliada a otras organizaciones internacionales que promueven el desarrollo del béisbol infantil y juvenil. Cuenta con 7 equipos representantes y otros menores en 18 estados del país.
beisboll.com.mx

ARTES, OFICIOS Y ARTESANÍAS

Hay cientos de maneras de darle rienda suelta a la imaginación, a las emociones, a la inteligencia y a la creatividad trabajando con las manos. Con cada una de las actividades se logra tener una relación a largo plazo y satisfacción inmediata.

Las posibilidades de experimentar con diferentes materiales son casi infinitas. Se puede trabajar con tela, madera, plásticos, hilo, vidrio, estambre, tierra, textiles, piedras, materiales reciclables, metales, cartón. Se pueden hacer esculturas con madera, barro, resinas, papel, piedra, aluminio, yeso. Se puede dibujar o pintar a lápiz, con crayones, con pinceles, con óleo o acuarelas, con trozos de carbón; en papel, en tela, en hojas o corteza de árbol, en la computadora.

Sentirás el estímulo y la satisfacción por lo logrado al hacer esculturas, cuando pintes, tejas o cosas, cuando tomes fotografías o videos, al hacer cerámica, carpintería, joyería o jardinería.

El proyecto se puede hacer antes de iniciar o sobre la marcha. En primer lugar, se reconocen las diferentes posibilidades que tiene el material para entenderlo, para familiarizarse con él. Se trabaja siguiendo y disfrutando todos los pasos, con paciencia, aceptando y corrigiendo, dedicando

tiempo cada día, sin abandonar la tarea hasta sentirnos satisfechos con la obra.

En jardinería, por ejemplo, se eligen el terreno o las macetas, las plantas o árboles que se van a sembrar. Con paciencia, esperas su crecimiento, atento a evitar lo que pueda dañarlas, como las plagas, la sequía, las heladas, el exceso de agua, hasta que llega el momento de obtener pequeños retoños, flores o frutos.

En carpintería, eliges la madera según lo que planeas hacer, después mides, cortas, ajustas, unes, tallas y pintas hasta obtener el objeto o mueble que te hayas propuesto.

Con las artes y oficios, nuestro esfuerzo siempre será recompensado. Se puede ganar buen dinero, hasta se puede llegar a tener una profesión o un negocio.

LUGARES PARA APRENDER ARTE Y ARTESANÍA

Fábricas de Artes y Oficios (Faro). Conforman una red de centros culturales y de formación artística de gran calidad localizados en la periferia de la Ciudad de México. Son modelos de desarrollo comunitario desde el ámbito cultural que defienden los valores de democracia, diversidad y descentralización. En ellos, encontrarás una gran variedad de talleres gratuitos de arte: cerámica, dibujo, alebrijes, máscaras, títeres, pintura, cartonería, bordado en tela, telar de cintura, fotografía, cocina y muchos más. Cuentan con galerías, biblioteca y librería.

Faro de Oriente en Iztapalapa
Calzada Ignacio Zaragoza s/n,
Col. Fuentes de Zaragoza
57 387440 / 57387443
farodeoriente.org
talleresfarodeoriente.blogspot.mx

Faro Indios Verdes
Av. Huitzilihuitl 51, Col. Santa Isabel Tola, Gustavo A. Madero.
5781 6900
facebook.com/faroindiosverdes

Faro Milpa Alta
Avenida Dr. Gastón Melo 40 (planta alta). San Antonio Tecómitl, Milpa Alta, D. F.
58477690
facebook.com/faromilpalta

Faro Tláhuac
Interior del Bosque de Tlalpan, Av. La Turba s/n, Col. Miguel Hidalgo.
21602055
farotlahuac.org

En muchas casas de cultura, centros culturales y centros regionales de iniciación artística se imparten talleres de pintura, dibujo, escultura, fotografía, artesanías y carpintería.
sgeia.bellasartes.gob.mx

CÓMO HACER UN PROYECTO DE VIDA

Todos debemos tener un proyecto de vida para saber lo que queremos hacer y hacia dónde queremos ir, para planificar el futuro, para saber el por qué y para qué de nuestra existencia, y para organizarnos y elaborar las estrategias que nos harán alcanzar nuestras metas.

Este proyecto lo podemos hacer solos o con la ayuda de nuestros padres o maestros. Los pasos son los siguientes:

1. Toma una hoja de papel y pon la fecha.

2. Identifica y anota tus metas a corto, mediano y largo plazo.

Las metas a corto plazo deben servirte para que te organices cada día. Las metas a mediano y largo plazo te darán la perspectiva hacia el futuro y la motivación que necesitas para realizar tus deseos.

3. Anota cuáles son los recursos que tienes para enfrentar y resolver tu vida.

4. Pregúntate cómo es tu capacidad para reconocer y manejar tus emociones, para plantear y resolver tus problemas, para interactuar y llevarte bien con tus amigos, compañeros, padres, maestros o en el estudio, en el trabajo y en las actividades recreativas; analiza cómo es tu capacidad para tomar decisiones. Anota todas tus respuestas.

5. Para ordenar tus prioridades, vuelve a hacer la lista siguiente ordenando estas metas del 1 al 13 según su importancia.

- Alimentarme bien
- Estudiar
- Practicar un deporte
- Convivir con mis amigos
- Descansar
- Hacer ejercicio
- Fortalecer mi cuerpo
- Hacer la tarea
- Pasar tiempo conmigo mismo
- Entretenerme
- Pasar más tiempo con mi familia
- Leer
- Ayudar en las tareas de la casa

Es valioso guardar el proyecto de vida para poderlo leer más tarde cuando lo creas necesario, para compararlo con tus otros proyectos en el futuro.

LUGARES PARA SOLICITAR AYUDA

Centros Nueva Vida. En México hay 323 Centros Nueva Vida que están dedicados a la prevención, tratamiento e investigación de las adicciones. Su función es mejorar la calidad de vida individual, familiar y social de los jóvenes. Desde cualquier lugar del país puedes hablar de manera gratuita, las 24 horas del día, los 365 días del año a su **Centro de Orientación Telefónica (COT) 01 800 911 2000**, el cual está atendido por trabajadores sociales capacitados que podrán atender tus inquietudes y dudas sobre el consumo de alcohol o drogas, darte información básica sobre sustancias psicoactivas e informarte cúal es el lugar más cercano a tu domicilio en el que puedes recibir atención para ti, un amigo o familiar. En este número se dan informes sobre los lugares que atienden urgencias, donde hay hospitalización o internamiento. Cuentan con una base de datos de más de 1500 centros autorizados para la atención y tratamiento de adicciones.
conadic.salud.gob.mx
konectate.org.mx

Centros de Integración Juvenil A. C.
México cuenta con 113 centros para la prevención y el tratamiento del alcoholismo y las adicciones. En la Ciudad de México dan atención las 24 horas del día contactando el **COT (01 800 911 2000).**
atencion@cij.gob.mx

Grupos de Alcohólicos Anónimos.
Los grupos de Alcohólicos Anónimos, llamados también AA, se basan en el "Modelo de los 12 pasos". Los adictos y alcohólicos, de cualquier sexo o edad, que se proponen dejar de beber o de consumir alguna droga, se reúnen en grupos a los que asisten diariamente. Comparten su historia, sus experiencias y sus problemas con la finalidad de encontrar la manera en la que cada uno puede llegar a la sobriedad. La información sobre el domicilio de los grupos, los días y horarios de reunión la puedes encontrar en la Central Mexicana de Servicios Generales de Alcohólicos Anónimos. A.C. En el **COT (01 800 911 2000)** también te darán información sobre los grupos cualquier día del año, las 24 horas del día.
aamexico.org.mx

Centros de Salud. En todos los Centros de Salud del país hay un médico general o un psicólogo dispuestos a ayudar y a atender la enfermedad del alcoholismo o la adicción. Estos centros dependen de la Secretaría de Salud y hay uno cerca de ti.
salud.gob.mx

Fundación Renace I. A. P. Que todos seamos uno. Es un centro de rehabilitación en adicciones que atiende a los jóvenes y sus familias. Se encuentra en el Callejón de Montero núm. 8, en la Plaza Garibaldi del Centro Histórico de la ciudad de México. **5529 0381.**
fundacionrenace.org.mx

Instituto Nacional de Enfermedades Respiratorias. Dedicado a la investigación y atención de personas que consumen tabaco y otras sustancias que dañan el sistema respiratorio.
iner.salud.gob.mx

Clínica contra el Tabaquismo de la UNAM. Brinda atención y tratamiento para la adicción a la nicotina. Su programa se basa en el modelo de diez sesiones individuales o de grupo que buscan sensibilizar y dar conciencia al paciente de los daños que causa el tabaquismo. El paciente examina la secuencia de acontecimientos que lo llevan al consumo de cigarrillos. Se orienta al paciente para que adquiera habilidades y herramientas para mantener la abstinencia, para desarrollar nuevas habilidades interpersonales y para mantener estilos de vida saludables.
facmed.clinicacontraeltabaquismo.unam

Dejar de fumar. Encontrarás una guía a modo de diario con actividades y recomendaciones que te ayudarán a abandonar el cigarro. En el **COT (01 800 911 2000)** dan atención de urgencia a fumadores aplicando el modelo de intervención breve para usuarios de tabaco.
quierodejardefumar.com.mx

Comunidades terapéuticas. Son casas en las que viven los que desean dejar de consumir y rehabilitarse lejos de la oportunidad de usar drogas. Tienen un reglamento y un orden para que los jóvenes aprendan a formar nuevos hábitos y a trabajar, hasta que puedan llegar a ser autosuficientes y a enfrentar sus responsabilidades. En el **COT (01 800 911 2000)** te darán informes de las comunidades autorizadas.

APÉNDICE
PARA SABER MÁS

EL CEREBRO Y SUS FUNCIONES

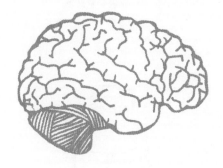

El cerebro es el órgano sede de la mente y de la conciencia del individuo. Está al centro del sistema nervioso. Es un órgano complejo, rico en neuronas y hormonas que enlaza, regula e integra las funciones del sistema nervioso con todo el organismo; se encarga de recibir la información, analizar los datos y dar las respuestas. Con la intoxicación, el cerebro se daña tanto en su estructura como en zonas específicas que alteran la comunicación y el funcionamiento de todo el organismo.

El **hipotálamo** es una glándula endocrina situada en el cerebro que segrega **dopamina**. Junto con la **hipófisis**, está a cargo de la homeostasis del cuerpo. Organiza, equilibra e integra las funciones que dirigimos conscientemente; estimula y regula las funciones que actúan sin nuestra dirección como son los estados del sueño y la vigilia, la actividad de las hormonas, la actividad sexual, las respuestas al estrés, el hambre y la sed.

Las **neuronas** son las células del sistema nervioso que trabajan en la recepción y conducción de la información. Mediante un proceso electroquímico y organizadas en circuitos, reciben los estímulos y los convierten en impulsos nerviosos que se transmiten de una neurona a otra a través de las **sinapsis**. El cerebro humano posee 100 mil millones de neuronas. Las **sinapsis** son los puntos de unión de las neuronas; en estos puntos se concentran y se producen los **neurotransmisores**.

Los **receptores** son proteínas que se encargan de elegir y fijar los elementos químicos encargados del proceso de recepción de la información.

El **núcleo accumbens** es un grupo de neuronas a las que se atribuye la importante función de ser el centro del placer, la recompensa, el reposo, la tranquilidad, la risa, el miedo y la adicción. La nicotina, la cocaína y la anfetamina incrementan en el núcleo los niveles de dopamina. El neurotransmisor que se genera en el *núcleo accumbens* se llama **GABA**.

La **serotonina, dopamina, adrenalina, noradrenalina** y **GABA** son hormonas que actúan como **neurotransmisores**. Estas biomoléculas se ocupan de transmitir la información y los mensajes de una neurona a la siguiente a través de las **sinapsis.**

La **serotonina** es el neurotransmisor que modula la relación entre todos los conjuntos de neuronas. Se relaciona con las percepciones, el estado de ánimo y las emociones. Un poco de leche caliente antes de acostarse incrementa los niveles de serotonina y ayuda a dormir.

La **dopamina** es el neurotransmisor que da la señal a los receptores que activan las sensaciones de excitación y placer. El consumo repetido de **estimulantes** y otras drogas aumentan la producción de esta hormona.

La **adrenalina** y la **noradrenalina** secretadas por las glándulas adrenales activan sensaciones de bienestar y se encargan de preparar al organismo para el estado de alerta. Con este fin, aumentan los niveles de glucosa en la sangre, aceleran la respiración, aumentan el ritmo cardiaco y dilatan la pupila. El ejercicio incrementa la producción natural de **adrenalina**; el estrés excesivo hace que se agoten sus reservas.

PADECIMIENTOS Y FENÓMENOS RELACIONADOS CON EL CONSUMO DE ALCOHOL O DROGAS

En años recientes, se ha puesto de moda decir que sentimos o padecemos **estrés**. Con esta palabra se nombra al conjunto de mecanismos con los que el organismo se prepara para enfrentarse a las situaciones de peligro, exigencia o amenaza. **Estar estresado** se convierte en problema o enfermedad cuando se presenta de manera constante y desencadena cansancio, baja de peso, dolor muscular, dolor de cabeza, trastornos digestivos, insomnio, fallas en la memoria, etcétera.

La **dependencia** es la relación estrecha y demandante que se genera entre una persona y alguna sustancia o alimento. En esa relación, se siente como obligatorio o ajeno a la voluntad, como "viniendo de fuera", el impulso exigente, irresistible o **compulsivo** de fumar, beber o comer. Al **antojo** de repetir el consumo para evitar el sufrimiento o malestar, se le dice también *craving*.

La **depresión** es un trastorno del estado de ánimo que se presenta ante las pérdidas o ante los hechos traumáticos. El que la padece se ve a sí mismo y a lo que lo rodea con tristeza o indiferencia, se siente poca cosa; siente desesperanza, culpa, infelicidad, mal humor, sentimientos de abandono o timidez. Tiene dificultad para dormir, cansancio constante, problemas con la alimentación, ideas o deseos de muerte. Se puede presentar desde la infancia, puede ser crónica o temporal; su intensidad y permanencia varían según la persona o la situación. Puede ser la causa o el efecto del consumo de alcohol o drogas.

La **manía** es un trastorno en el que el pensamiento y el lenguaje fluyen aceleradamente. Los que la padecen no pueden concentrarse, su estado de ánimo es exaltado, se sienten llenos de energía, quieren llevar a la práctica gran cantidad de ideas, hacer gastos excesivos, la agitación e inquietud les impiden el descanso y el sueño, se comportan de manera irresponsable, están irritables o irascibles, pueden presentar delirios de grandeza (megalomaníacos). Algunos tratan de aliviar la exaltación o angustia fumando en exceso o consumiendo mariguana. El consumo de alcohol, cocaína y anfetaminas empeora peligrosamente los **episodios maníacos.**

Los que padecen de **trastorno bipolar** presentan oscilaciones en su estado de ánimo que van de la **manía** a la **depresión,** de la alegría a la tristeza. Este padecimiento requiere tratamiento psiquiátrico acompañado de psicoterapia o psicoanálisis.

Los médicos psiquiatras diagnostican como **psicosis** la enfermedad mental que altera de manera grave la personalidad. En el habla popular, se le dice **psicótico** al que está afectado de la mente en forma severa.

Los **delirios** o ideas delirantes son ilusiones o ideas que se sostienen firmemente a pesar de que carecen de fundamentos lógicos. Los que padecen de **delirio paranoide** encuentran motivos propios para malinterpretar las intenciones de los otros, desconfían, se sienten perseguidos; el **delirante celoso** sospecha o se siente convencido de ser engañado y burlado por su pareja; en la **megalomanía** aparecen ideas y sentimientos delirantes de grandeza, poder, riqueza, grandiosidad, que ante la respuesta de los demás se traduce en malestar.

Las **alucinaciones** son sensaciones visuales, olfativas, del gusto, del tacto, de la percepción de sí mismo, de la temperatura y del equilibrio semejantes a los sueños. Pueden ser causadas por el consumo de sustancias **alucinógenas** o **psicodélicas**. En las alucinaciones auditivas, se escuchan voces que pueden ser amables, ofensivas, críticas o amenazantes.

PARA ESTAR BIEN

Para la **desintoxicación** o **proceso de eliminación** se mantiene en reposo a la persona por unos días, con atención médica y psiquiátrica, aplicando relajantes musculares y tranquilizantes ligeros, hasta lograr que

el cerebro, el sistema digestivo, los riñones o el hígado desechen el veneno o droga.

Los niños y adolescentes mexicanos están bajo la protección de la **Ley para la protección de los derechos de niñas, niños y adolescentes**, que tiene como objetivo asegurar el crecimiento, la educación y el desarrollo pleno de los niños y adolescentes mexicanos dentro de un ambiente familiar y social libre de violencia.

diputados.gob.mx/LeyesBiblio/pdf/185.pdf

El ambiente **favorable** y **protector** para el desarrollo de los niños es el que es capaz de dar educación, apoyo, compañía y entretenimiento. Se propicia al formar espacios sociales dentro de los que los niños aprendan a enfrentar y resolver mejor los diferentes retos y dificultades que la vida les presenta.

Los niños, los adolescentes y sus padres deben saber que la **educación** tiene su fundamento en la familia. La escuela, además de dar conocimientos como leer, escribir, aritmética o geografía, tiene junto con la familia el propósito de conducir al niño y el joven al entendimiento de sí mismos y de los demás, enseñarlo a ser **tolerante**, **solidario** y **respetuoso** con sí mismo, con los recursos de la naturaleza y con los bienes de la comunidad. La finalidad educativa de la familia y de la escuela es hacer del niño un ser social, capaz de **pensar** y **razonar**, de ser autónomo, capaz de trabajar, para que pueda ganarse la vida y elegir su propio camino.

Saber **razonar** es ser capaz de mirar desde el punto de vista del otro, es saber escuchar las razones de los demás, es tener la capacidad de entender, escuchar, argumentar e intercambiar opiniones que nos lleven a elegir bien.

Ser **solidario** o tener **solidaridad** es tener la capacidad de sentir lo que el otro necesita, sufre o padece para intentar ayudar a remediarlo.

Con las **redes sociales para la prevención**, los maestros que se interesan por el bienestar de sus alumnos hacen que sea más sencillo alcanzar la meta. Con este fin, dedican tiempo de su clase a analizar y reflexionar sobre situaciones de orden personal y de grupo que los llevan a tomar buenas decisiones. Tratan de conducir a los jóvenes hacia el uso creativo de su tiempo libre, al desarrollo de habilidades sociales, la integración y el trabajo por la comunidad. Estas redes se deben ampliar hacia el entorno social y hacia el interior de las familias.

Con la **prevención**, se hacen planes y se toman las medidas necesarias para reducir las situaciones de riesgo y evitar que se presente un problema. La **prevención selectiva** se dirige principalmente a los hijos de personas que padecen alcoholismo, a los niños que presentan trastornos afectivos, a los estudiantes que abandonan la escuela o reprueban, a los niños que tienen hermanos consumidores o que viven en sitios donde existe disponibilidad para el consumo de sustancias, para después conducir a los que lo requieran a atención especializada. La **prevención indicada** se dirige y se concentra en aquellos que se sabe que ya han experimentado con drogas, que consumen tabaco o alcohol, y que padecen consecuencias negativas, con el fin de evitar el progreso de la adicción. La **prevención universal** se dirige a toda la población del país con libros, talleres, pláticas, campañas y actividades recreativas.

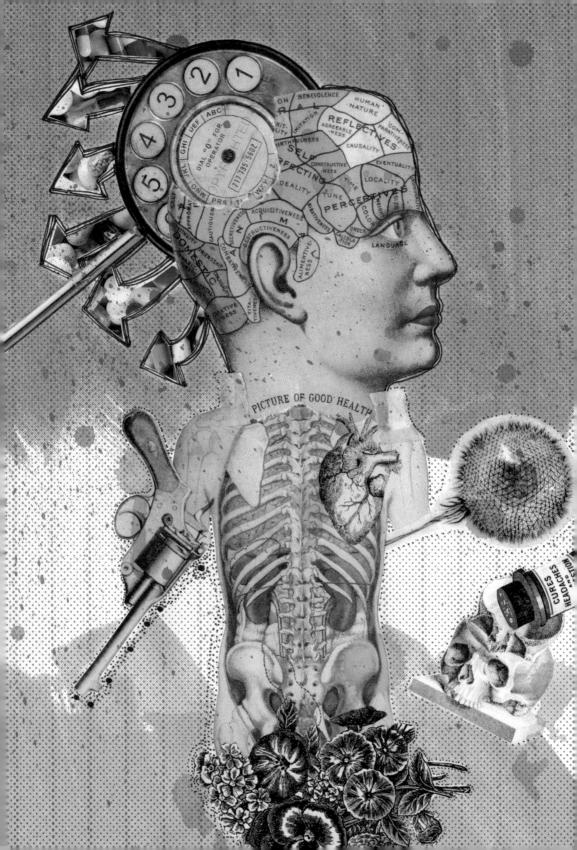

ÍNDICE

La neta de las drogas de Martha Reynoso se terminó de imprimir en noviembre de 2014 en la Ciudad de México.